La guer

de la limonade 2

L'AFFAIRE LIMONADE

Jacqueline Davies

Gouvernement du Québec – Programme de crédit d'impôt
pour l'édition de livres – Gestion Sodec

Nous reconnaissons l'aide financière du gouvernement du Canada
par l'entremise du Fonds du livre du Canada pour nos activités d'édition.

L'affaire limonade, tome 2

info@lesmalins.ca

Éditrice au contenu : Katherine Mossalim
Éditeur : Marc-André Audet
Traduction : Caroline Minic
Adaptation : France Gladu
Correcteurs : Jean Boilard, Fanny Fennec et Dörte Ufkes
Illustration de la couverture : Shirley de Susini
Conception de la couverture : Shirley de Susini
Mise en page : Chantal Morisset et Marjolaine Pageau

Dépôt légal – Bibliothèque et Archives nationales du Québec, 2015
Dépôt légal – Bibliothèque et Archives Canada, 2015

ISBN : 978-2-89657-355-4

Imprimé au Canada

Les éditions les Malins inc.
Montréal, QC

L'affaire limonade

Jacqueline Davies

Traduit de l'anglais par Caroline MINIC
Adapté par France Gladu

Pour C. Ryan Joyce,

qui tient lieu de parent dans bien
des cas, dont un en particulier.

SOMMAIRE

Chapitre 1 Fraude 9
Chapitre 2 Vengeance 19
Chapitre 3 Témoin oculaire 29
Chapitre 4 Ouï-dire 37
Chapitre 5 Accusé 43
Chapitre 6 Impartial 51
Chapitre 7 Diligence raisonnable 61
Chapitre 8 Défense 71
Chapitre 9 De bonne foi 79
Chapitre 10 Procès devant jury 85
Chapitre 11 Parjure 91
Chapitre 12 Charte des droits et libertés 103
Chapitre 13 Preuve circonstancielle 109
Chapitre 14 Provocations 117
Chapitre 15 Balance 127
Chapitre 16 Dédommagement 135

CHAPITRE 1

Fraude

Fraude [fʁod] n. f. Action faite de mauvaise foi dans le but de tromper, de s'approprier le bien d'autrui ou de réaliser un gain personnel ou financier. Un fraudeur est une personne qui fait semblant d'être ce qu'elle n'est pas.

–Ce n'est pas juste ! s'exclame Jessie.

Elle pointe d'un doigt accusateur les quatre biscuits que son frère Evan vient de glisser dans un sac refermable. Jessie et lui se trouvent dans la cuisine, prêts à partir pour l'école, en ce quatrième jour de leur quatrième année. Eh oui, parce que cette année, ils sont dans la même classe !

–D'accord, dit Evan, en retirant un biscuit de son sac et en le remettant dans le pot. Trois pour toi, trois pour moi. Contente ?

–Il ne s'agit pas d'être content ou pas, répond Jessie, c'est une question de justice !

–Peu importe. J'y vais !

Sac à dos sur l'épaule, Evan descend l'escalier qui mène au garage.

Jessie s'approche de la grande baie vitrée du salon et regarde son frère s'éloigner de la maison à vélo. Comme elle est encore trop jeune, sa mère lui interdit d'utiliser sa bicyclette pour aller à l'école sans être accompagnée d'un adulte. C'est l'une des choses embarrassantes – parmi tant d'autres – du fait d'être la plus jeune de sa classe parce qu'elle a sauté sa troisième année : tous les autres élèves de quatrième peuvent aller à l'école à vélo, mais elle, elle doit s'y rendre à pied.

Jessie retourne à la cuisine et se dirige vers le réfrigérateur. Le calendrier des repas de l'école y est collé. Elle barre le menu du jour. Aujourd'hui : hamburger au poulet. Ce n'est pas son plat préféré, mais c'est mangeable. De son doigt, elle pointe tous les menus jusqu'à la fin de la semaine et lit à voix haute : hot dog (*beurk !*) ; croquettes de poulet cuites au four servies avec trempette ; tacos ; et, vendredi, son plat préféré : pain doré croustillant à la cannelle.

La case du samedi était vide à l'origine, mais quelqu'un y a écrit au feutre rouge :

Les mains sur les hanches, Jessie se demande qui est l'auteur de ce gribouillage. Sûrement l'un des amis d'Evan. Adam ou Paul. Oser barbouiller son menu comme ça ? Paul, sans aucun doute ! C'est bien son genre. Jessie sait que Yom Kippour est une fête juive des plus importantes. Elle ne se rappelle pas ce que cet événement représente, mais elle sait que c'est quelque chose d'important. Ce n'est donc pas sérieux d'écrire *c'est la fêêêêête !* en dessous de Yom Kippour.

–Jessie, es-tu prête ? demande sa mère en entrant dans la cuisine.

–Ouais !

Jessie soulève son sac à dos, presque aussi lourd qu'elle, et le hisse sur ses épaules. Elle se penche légèrement en avant pour faire contrepoids et ne pas tomber à la renverse.

–Maman, tu n'es plus obligée de m'accompagner à l'école, tu sais ? Je suis en quatrième année, maintenant.

–Je sais, répond Mme Treski en cherchant ses chaussures sur les marches qui conduisent au garage, mais tu as seulement huit ans...

–Je vais avoir neuf ans le mois prochain !

Sa mère la regarde.

–Le fait que je t'accompagne te dérange tant que ça ?

–Eh bien... est-ce que je ne pourrais pas y aller avec Megan ?

–Je croyais que Megan était toujours en retard...

–Oui, mais puisque moi, je suis toujours en avance, ça égalisera les choses.

–Je pense que ça ira pour demain. Mais aujourd'hui, allons-y ensemble, d'accord ?

– D'accord. Mais c'est la dernière fois, précise Jessie.

En fait, elle aime bien aller à l'école avec sa mère, mais elle ne peut s'empêcher de se demander si les autres élèves ne la trouvent pas encore plus bizarre à cause de ça.

Elles parcourent l'habituel trajet en moins de dix minutes. Darlene, la brigadière scolaire, lève ses mains gantées pour faire arrêter les voitures et leur dit :

– Allez-y ! Vous pouvez traverser.

Jessie se tourne vers sa mère, qui vient à peine de s'engager sur le passage piéton.

– Maman, c'est bon, je peux faire le reste de la route toute seule.

– Eh bien..., hésite sa mère, interrompue dans son élan. Bon, d'accord. Je viendrai te chercher après l'école et je t'attendrai ici.

Mme Treski remonte sur le trottoir. Jessie sait que sa mère l'observe et qu'elle la suivra des yeux jusqu'à ce qu'elle atteigne la cour de récréation. *Je ne me retournerai pas pour lui dire au revoir*, se dit-elle. *Les élèves de quatrième année ne font pas ce genre de choses.* Evan le lui a bien dit.

Jessie entre dans la cour et se met à la recherche de Megan. Comme les élèves n'ont pas le droit de franchir le seuil de l'école tant que la cloche n'a pas sonné, ils se réunissent dehors, s'amusent dans l'aire de jeu aux barres de suspension, dévalent la glissade ou organisent une rapide partie de soccer ou de basketball s'ils tombent sur un professeur assez gentil pour leur prêter un des ballons de l'école avant le début de la classe. Jessie examine les alentours pour repérer Megan. Aucune trace d'elle. Elle doit être en retard.

Elle glisse les pouces sous les bretelles de son sac à dos. Elle a déjà remarqué que la plupart des filles de quatrième année n'en ont pas : elles portent plutôt leurs livres, leurs cartables, leurs bouteilles d'eau et leurs dîners dans des sacs à bandoulière souples. Jessie trouve ces sacs vraiment stupides : ils frappent les genoux à chaque pas et creusent un sillon visiblement douloureux dans l'épaule. Les sacs à dos sont bien plus pratiques.

Elle se dirige vers la partie asphaltée de la cour où Evan et quelques autres garçons jouent au basketball HORSE. Certains d'entre eux sont en cinquième année. Ils sont grands, mais Jessie n'est pas surprise de voir qu'Evan se trouve en tête. Il est très fort au basket : le meilleur de toute leur classe, d'après elle. Peut-être même le meilleur de toute l'école. Elle s'assoit derrière la ligne de touche, sur le côté.

– Maintenant, je fais un tir à reculons, annonce Evan.

Au basketball HORSE, chaque participant doit effectuer un tir et, s'il le réussit, les autres joueurs doivent copier le mouvement pour ne pas être sanctionnés d'une des lettres du mot

HORSE (« cheval », en anglais) et finir par être expulsés quand ils complètent le mot. Le dernier qui reste sur le terrain a gagné.

– D'abord, on met un pied sur cette petite fissure, dit-il avant de faire rebondir le ballon devant lui à plusieurs reprises.

Jessie regarde, tout comme les autres élèves, si Evan va réussir son panier.

Enfin prêt, il saute et lâche le ballon en retombant. Celui-ci vole dans les airs, traçant un arc-en-ciel parfait, avant de pénétrer dans le panier.

– Oh, non ! s'exclame Ryan, qui doit maintenant imiter le lancer d'Evan.

Il dribble longuement, plie les genoux, mais juste au moment où il va sauter, la cloche retentit.

– Ouf ! s'écrie-t-il en propulsant le ballon haut dans les airs.

– Sauvé par la cloche ! se moque gentiment Evan.

Il rattrape le ballon en plein vol et le replace dans la caisse de lait qui contient le matériel de jeux extérieurs de la classe de quatrième année.

Jessie aime bien les amis d'Evan. Comme ils sont en général tous super gentils avec elle, elle les suit pour se mettre en rang. Elle sait qu'elle ne doit pas se placer juste derrière Evan. Il n'était déjà pas vraiment emballé à l'idée de se retrouver dans la même classe que sa petite sœur cette année, alors leur mère avait donné à Jessie un conseil pour que les choses se passent bien : *ne le colle pas, laisse-le respirer.* C'est donc ce qu'elle s'efforce de faire.

Jessie jette un rapide coup d'œil autour d'elle pour guetter l'arrivée de Megan, et elle voit Scott Spencer sortir en trombe de la voiture de son père.

– Oh, super ! marmonne-t-elle.

De l'avis de Jessie, Scott Spencer est un fauteur de troubles, un imposteur et un fraudeur. Il passe son temps à faire des bêtises derrière le dos de la prof et ne se fait jamais prendre. Comme la fois où il a arraché tous les pétales des jonquilles qui poussaient dans le local d'arts plastiques. Ou encore, quand il a effacé des étoiles de mérite du tableau pour que son équipe de travail en ait plus que les autres et remporte la récompense à la fin de la semaine.

Quand Scott rejoint le rang, il se glisse sans se gêner juste devant elle et tapote l'épaule de Ryan.

– Salut, dit-il.

– Hé ! lui répond Ryan, en se tournant et en le saluant d'un signe de tête.

– Excuse-moi, l'interpelle Jessie en le tapotant sur le bras. La fin de la queue se trouve là-bas, en arrière.

Elle accentue ses propos en pointant du pouce la fin de la queue.

– Et puis après ? répond-il.

– Et puis après, tu ne peux pas passer devant les autres !

– On s'en fiche ! On fait juste la queue pour entrer en classe.

– C'est une queue, et quand on fait la queue, on se met à la fin quand on arrive.

Scott hausse les épaules.

– On s'en fout, de ce que tu racontes ! dit-il en lui tournant le dos.

Le rang se met en mouvement. Scott salue quelques autres garçons en les gratifiant d'un coup sec sur le bras. Certains répondent à son salut, mais Jessie constate qu'Evan s'obstine à regarder droit devant lui.

– Je suis vraiment trop en retard, ce matin ! s'exclame Scott en affichant un grand sourire. Je ne pouvais plus lâcher ma Xbox 20/20 !

– Tu as eu une Xbox 20/20 ? demande Ryan.

Paul se retourne.

– Qui a eu une 20/20 ?

– Lui, répond Ryan en pointant Scott du doigt.

– Ouais, ouais, dit Paul, elle n'est même pas encore sortie.

– On ne peut pas l'acheter au magasin, c'est vrai, reprend Scott, mais ma mère connaît des gens au Japon.

Jessie regarde droit devant elle, en tête du rang, là où se trouve Evan. Il ne réagit pas : il n'a pas dû entendre. De plus en plus de garçons se retournent pour parler de la 20/20. C'est la toute dernière console de jeux vidéo, vendue avec des accessoires comme des lunettes 3D et des gants à capteurs de mouvements.

Le rang se resserre. Quand Jessie atteint la porte, elle y voit Mme Overton qui accueille chaque élève d'un « bonjour » à son entrée dans la salle de classe.

–Madame Overton, Scott Spencer est passé devant moi dans la queue ce matin, dit-elle.

Elle n'est pas du genre à tout rapporter, mais Scott a besoin d'être rappelé à l'ordre.

Mme Overton pose la main sur son épaule.

–D'accord, Jessie. Je vais le surveiller et faire attention à ce que ça ne se reproduise pas demain, mais pour le moment, on oublie ça.

Jessie se rend à son pupitre et replace la chaise qui se trouve à l'envers dessus.

Génial ! pense-t-elle. *Scott Spencer s'en tire encore les doigts dans le nez* !

Après avoir posé sa chaise par terre, elle se dirige vers le couloir pour suspendre son sac à dos dans son casier. Elle déchire un petit bout de papier de son cahier de rédaction et y écrit quelques mots à la hâte. Puis, alors qu'elle passe près du pupitre d'Evan pour se rendre au sien, elle lui glisse le mot dans la main. Elle ne le voit pas l'ouvrir et le lire, mais quand elle s'assoit, elle comprend tout de suite qu'il l'a fait. Evan fixe Scott Spencer, et si un regard pouvait tuer, le sien lancerait des obus à longue portée.

Scott Spencer a eu une Xbox 20/20.
Je me demande bien où il a
trouvé l'argent !!! ☹

CHAPITRE 2

Vengeance

Vengeance [vɑ̃ʒɑ̃s] n. f. Mal que l'on fait à quelqu'un pour le punir d'une injure qu'il nous a lancée, d'un dommage qu'il nous a causé.

Evan chiffonne la note dans son poing. Tout à coup, il n'a plus envie de rire ou de plaisanter avec ses amis. Tout à coup, il a envie de frapper très fort dans le mur.

Pourquoi ? Parce que, maintenant, il est sûr et certain que Scott Spencer lui a volé son argent. C'est arrivé la semaine passée, pile au moment de la grosse vague de chaleur. Ils étaient tous chez Jack – lui, Paul, Ryan, Kevin, Malik et Scott – et jouaient au basket dans la piscine. Evan avait 208 $ dans la poche de son short. *Deux cent huit dollars !* C'était plus d'argent qu'il n'en avait jamais vu de toute sa vie. Il avait laissé son short soigneusement plié sur le lit de Jack pendant qu'ils étaient tous dans la piscine. Et puis Scott était entré dans la maison pour aller aux toilettes. Une minute plus tard, il en était sorti en trombe, disant qu'il devait retourner immédiatement chez lui. Et quand Evan avait voulu se rhabiller à son tour, son argent avait disparu.

Evan ne s'était jamais senti aussi mal de toute sa vie.

Jadis, il y a de ça quelques millions d'années, Scott et lui avaient été amis. Ou presque. Evan allait souvent jouer chez Scott, et Scott venait parfois jouer chez lui, même s'il n'arrêtait pas de répéter que sa maison était mieux parce qu'il y avait plus de choses à faire. Une fois, il avait même emmené Evan au chalet de ses parents au bord de l'eau. Les Spencer avaient beaucoup d'argent. La mère de Scott était avocate dans l'un des plus prestigieux cabinets du centre-ville et son père était conseiller financier.

Mais la relation entre les deux garçons s'était refroidie depuis. Considérablement, même. Pour tout dire, c'était devenu vraiment pénible de se trouver en compagnie de Scott. Il n'arrêtait pas de se vanter, de tricher aux jeux, même les plus ridicules comme le jeu de pêche ou Opération. On s'en fichait, de gagner au jeu de pêche ! En plus, il était radin ! Il gardait absolument tout sous clé chez lui. Même ses petits gâteaux au chocolat et ses bonbons étaient enfermés à double tour à l'intérieur d'un meuble de rangement en métal, dans le sous-sol de sa maison. En fait, Evan constatait qu'il ne pouvait vraiment plus le supporter. Et maintenant, il avait une raison de le haïr.

—Ton contrôle de mathématiques, Evan, lui dit Mme Overton en passant à côté de lui et en tapotant sa feuille d'exercices.

Evan baisse les yeux vers son pupitre. Tous les autres élèves planchent sur le même problème, et il devine que certains ont déjà terminé. Normalement, il se serait senti stressé. Mais ce matin, il n'arrive même pas à se concentrer suffisamment sur son contrôle pour ressentir ce petit pincement, ce « *iiich* » qui lui vient habituellement en pareille situation.

Je pourrais m'acheter une Xbox. La toute dernière. C'est ce que Scott a dit la semaine passée, juste avant que l'argent d'Evan ne disparaisse. Ils parlaient alors de l'argent qu'ils pourraient se faire en vendant de la limonade et de ce qu'ils achèteraient s'ils devenaient riches. Soudainement riches.

Et maintenant, Scott Spencer a une Xbox. Une 20/20. Et Evan est certain qu'il l'a achetée avec l'argent qu'il lui a volé. Il n'a qu'une envie : lever la tête vers le ciel et hurler.

Ch-ch-ch-ch-ch-ch-ch. Un bruit proche de celui que fait un serpent à sonnette prêt à bondir sur sa proie se répand dans la classe. Evan lève les yeux de sa feuille. Mme Overton secoue le chékéré, ce gros instrument de percussion africain qu'elle utilise pour attirer l'attention de ses élèves. Les perles qui ornent la courge évidée dont est fait l'instrument bruissent et cliquettent.

—Les ramasseurs de copies, dit Mme Overton, veuillez s'il vous plaît prendre les feuilles d'exercices de vos camarades et les déposer sur mon bureau.

Chaque semaine, les élèves de quatrième année se voient confier une tâche. Certaines d'entre elles sont très sérieuses, comme celles du ramassage des copies, du contrôle du matériel de sport ou de la prise des présences. D'autres au contraire sont complètement farfelues, comme l'habillage du poulet (qui consiste à choisir le costume que portera le poulet en caoutchouc qui trône sur le bureau de Mme Overton) ou la grimace dingue (un ou une élève fait une grimace que tous les camarades de classe doivent imiter le vendredi après-midi avant de rentrer à la maison).

–Tous les autres, venez vous asseoir sur le tapis pour la réunion du matin, demande-t-elle.

Evan regarde de nouveau sa feuille d'exercices – blanche. La seule chose qu'il a écrite dessus est son nom. Il la tend à Sarah Monroe et se dirige vers le tapis dans le coin de la pièce. Il se laisse tomber lourdement au sol et s'accote contre la bibliothèque.

–Evan, redresse-toi s'il te plaît, lui dit Mme Overton en souriant. Pas de dos ronds dans le cercle !

Evan s'assoit en tailleur et se redresse.

Tout d'abord, ils font le tour du cercle. Chacun doit dire « bonjour » à la personne assise à sa droite, puis à sa gauche, mais de deux manières différentes. Lorsque son tour arrive, Evan dit « *konichiwa* » à Adam, qui est assis à côté de lui. Evan adore dire ce mot japonais. Il lui donne l'impression de parler la bouche pleine de guimauves. Jessie utilise quant à elle le langage des signes pour saluer Megan. Scott Spencer, lui, dit « Ça roule, ma poule ? » à Ryan, ce qui fait rire tout le monde. Tout le monde, sauf Evan.

Ensuite, Mme Overton leur dévoile le sujet de débat du jour. Une oie sauvage a atterri dans la cour de récréation hier, et avait apparemment inspiré la maîtresse. Elle souhaite savoir ce que les élèves connaissent des oies, et plus généralement des oiseaux migrateurs. Tour à tour, ils vont donc écrire quelque chose au tableau. La phrase d'Evan est la suivante : *Certains oiseaux volent pendant des jours.* Il voudrait ajouter *quand ils migrent,* mais comme il est presque certain de se tromper sur l'orthographe de *migrent,* il abandonne l'idée.

Quand ils ont fini de discuter d'oies et de migration, Mme Overton referme les feutres et dit :

–Quelqu'un voudrait-il partager quelque chose avec la classe avant que chacun retourne à sa place ?

La moitié des élèves de la classe lèvent la main, mais personne n'est plus rapide que Scott Spencer.

–Scott, dit Mme Overton.

Evan s'affaisse de nouveau contre la bibliothèque. Il n'a pas du tout envie d'écouter ce que Scott a à partager avec la classe.

–J'ai eu une Xbox 20/20, dit Scott fièrement en regardant tous les élèves autour de lui.

Immédiatement, un brouhaha explose dans la classe : les vingt-sept élèves de quatrième année se mettent tous à parler en même temps. Mme Overton doit secouer son chékéré pendant presque dix secondes pour ramener le calme.

– Par tous les poulets en caoutchouc ! s'exclame-t-elle en faisant rire toute la classe. Je vois que cette nouvelle console de jeux vidéo ne vous laisse pas indifférents ! Bien, vous pouvez poser trois questions à Scott, et ensuite nous passerons à quelqu'un d'autre.

Mme Overton donne la parole à Alyssa en premier.

– Qu'est-ce qu'elle a de si particulier, cette 20/20 ? demande-t-elle.

– Non, mais tu blagues ? demande Paul, incrédule. Tu n'as qu'à mettre les lunettes spéciales pour que les images de ta télé t'apparaissent en 3D !

– Paul, n'oublie pas de lever la main si tu désires prendre la parole, lui rappelle Mme Overton.

Scott confirme les précisions de Paul.

– C'est vrai. Quand tu portes les lunettes 3D, tu as vraiment l'impression d'être à l'intérieur de la jungle, ou de la voiture de course, enfin, là où le jeu se déroule. Et tu contrôles le jeu avec des gants à capteurs de mouvements que tu as aux mains. Tout dépend de la manière dont tu bouges tes doigts, comme ça.

Scott tend les mains pour montrer comment il bouge les doigts, de différentes manières, pour réaliser les actions dans le jeu. Ryan secoue la tête, épaté, comme s'il ne pouvait y croire.

Mme Overton regarde toutes les mains qui sont encore levées.

–Deuxième question ? Jack ?

–Quels jeux as-tu ?

Tous les garçons, et même quelques filles, se sont tournés vers Scott, ce qui fait que tout le cercle se retrouve face à lui.

–Pour le moment, j'ai Defender, Road Rage et Crisis. Et j'en ai une tonne en japonais. Je n'ai pas la moindre idée de ce que c'est, par contre…

La classe se remet à bavarder jusqu'à ce que Mme Overton choisisse l'élève pour la dernière question.

–Jessie ?

Evan se redresse, se demandant ce que sa petite sœur va poser comme question. Les premiers jours d'école, Jessie avait à peine prononcé quelques mots. À présent, tous les élèves se tournent vers elle pour écouter ce qu'elle a à dire.

–Combien est-ce qu'elle t'a coûté ? demande-t-elle.

Evan sourit. C'est bien le genre de Jessie de poser la question qui brûle les lèvres de tout le monde, mais que personne n'ose poser.

–Jessie, c'est une question déplacée, dit Mme Overton.

Le front de Jessie se plisse.

–Pourquoi ça ?

–Nous ne parlons pas d'argent en classe.

–Nous le faisons tout le temps en mathématiques, reprend Jessie.

– C'est différent, répond la maîtresse. Ce que je veux dire, c'est que c'est déplacé de nous demander les uns aux autres le prix des choses. Ce n'est pas poli. Allez, changeons de sujet. Evan, as-tu quelque chose à partager avec la classe ?

Evan avait levé la main ; il la baisse.

– Puisque la question de Jessie ne compte pas, est-ce que je peux en poser une dernière ?

Mme Overton réfléchit un moment. Evan sent qu'elle a vraiment envie de changer de sujet de conversation, mais qu'elle tient également à respecter les règles de la réunion du matin.

– D'accord, finit-elle par répondre. Ça me paraît juste.

Evan se tourne vers Scott et le regarde droit dans les yeux. Ce sentiment qu'il a eu en lisant le mot de Jessie l'envahit à nouveau, comme si un gigantesque rouleau compresseur lui passait dessus. Evan se sent rarement furieux, ou même jaloux, mais présentement, il a réellement envie d'attraper Scott par les épaules et de le secouer comme un prunier jusqu'à ce qu'il avoue tout.

– Qui te l'a achetée ? demande-t-il. Toi ou tes parents ?

Scott lève fièrement le menton, comme il le fait chaque fois qu'il défie Evan sur un terrain de basket.

– C'est moi qui me la suis achetée, avec *mon* argent.

La classe s'agite à nouveau et Mme Overton n'essaie même pas de regagner l'attention des élèves avec son chékéré. Elle lève les mains et hausse le ton : « Du calme, tout le monde ! »

Une fois le silence rétabli, elle reprend :

–Scott, c'est très impressionnant que tu aies économisé ton argent de poche pour t'acheter quelque chose que tu désirais vraiment. Maintenant, si vous le voulez bien, passons à autre chose.

Mais Evan ne peut pas passer à autre chose. Il n'arrive pas à écouter Sally raconter son voyage chez ses grands-parents, ni même Paul parler du nid de vipères qu'il a trouvé derrière chez lui. Il est incapable de voir ou d'entendre quoi que ce soit. Cette envie de faire cracher le morceau à Scott le submerge et l'envahit totalement. Il sait maintenant ce qu'il veut obtenir : la vengeance.

CHAPITRE 3

Témoin oculaire

Témoin oculaire [temwɛ̃ ɔkylɛʁ] n. m. et adj. Celui qui a vu ce dont il témoigne.

Jessie se tient raide comme un piquet dans l'embrasure de la porte, un pied à l'intérieur de la salle de classe, l'autre dans la cour de récréation. Quand la sonnerie a retenti, tout le monde s'est précipité pour jouer dehors. Tout le monde, sauf Evan et Megan, auxquels Mme Overton a demandé de rester en classe pour terminer leur contrôle de mathématiques.

Jessie n'a pas envie de sortir si Megan et Evan ne sont pas avec elle. Elle ne connaît pas encore assez bien ses camarades de classe – pas assez pour savoir qui est gentil et qui ne l'est pas – et a peur de dire la mauvaise chose à la mauvaise personne. Elle est sûre qu'alors les autres vont se moquer d'elle, ou pire, qu'ils seront méchants. Ou bien que tous hausseront les sourcils en la regardant – affichant une de ces expressions faciales qu'elle n'arrive jamais à décoder –, puis qu'ils lui tourneront le dos sans dire un mot.

Peut-être qu'elle pourrait rester à l'intérieur et lire le livre qu'elle a choisi pour sa lecture libre ? La question vaut au moins la peine d'être posée à Mme Overton.

Elle retourne à son pupitre et en sort *Le prince et le pauvre*, un livre que sa grand-mère lui a offert. Deux fois, même. Tout d'abord, elle le lui avait envoyé au début de l'été, accompagné d'une note qui disait : *Jessie, j'ai adoré ce livre quand j'avais ton âge.* Puis, un mois plus tard, un autre exemplaire du même livre est arrivé par la poste, accompagné d'une note qui disait : *Ce livre m'a fait penser à toi, Jessie. J'espère que tu l'aimeras !*

Jessie avait ri et dit : « J'espère qu'elle sera aussi tête en l'air pour l'argent de mon anniversaire et qu'elle me l'enverra deux fois ! » Mais sa mère ne l'avait pas trouvée drôle. Elle avait froncé les sourcils, secoué la tête, et avait téléphoné à grand-mère, juste pour prendre de ses nouvelles.

– Madame Overton ?

Evan est parti aux toilettes et Megan se trouve dans le couloir en train de boire de l'eau. Jessie et la maîtresse sont donc seules dans la salle de classe.

– Oui, Jessie ?

Assise à son bureau, Mme Overton lit ce que les élèves ont rédigé dans leurs cahiers de bord durant la matinée. Jessie a parlé du feu d'artifice de la fête du Travail qu'elle, son frère et sa mère ont regardé depuis leur maison. Elle a utilisé beaucoup de longs mots comme *kaléidoscope* ou *panorama* et des verbes compliqués comme *exploser* ou encore *synchroniser*. Elle est plutôt satisfaite de son paragraphe.

Jessie entend Evan et Megan rire dans le couloir. Ce rire lui coupe son élan : elle n'a pas envie qu'ils la voient dans la classe avec la maîtresse pendant la récréation. Elle est presque sûre qu'Evan va lui dire : « Aucun élève de quatrième année ne fait ça ! »

– Euh, rien, marmonne-t-elle, en retournant vers son pupitre avec son livre.

– Tu devrais aller jouer dehors, trésor, lui dit Mme Overton. Tu n'as pas envie de rater toute la récréation du matin, n'est-ce pas ?

– Non, bien sûr, répond-elle sans conviction.

Elle se dirige à grands pas vers la porte à l'arrière de la classe qui donne directement sur la cour. Alors qu'elle se tourne pour la refermer, elle aperçoit Evan et Megan qui rentrent dans la pièce. Ils semblent très contents, malgré le fait qu'ils soient bloqués à l'intérieur pendant toute la récréation à faire, *en plus*, des mathématiques.

Dehors, un groupe de filles est installé à la table de pique-nique. Elles plient des origamis en forme de fleurs. Certains élèves s'amusent dans le module de jeux, et une autre dizaine jouent au soccer. Tous les amis d'Evan – Paul, Ryan, Adam et Jack – sont sur le terrain de basket en compagnie de Scott Spencer.

Qu'est-ce que je pourrais bien faire ? se demande Jessie. Curieuse de savoir si les garçons parlent encore de la 20/20, elle décide de s'approcher du panier de basket et de s'asseoir sur le gazon. En faisant semblant d'être plongée dans la lecture de son livre, elle épie leur conversation.

Jessie entend Paul demander à Scott :

– Comment as-tu réussi à économiser autant ?

Ils ne font pas une vraie partie de basket, mais se contentent de tirer au panier les uns après les autres, en se tenant derrière la ligne blanche.

– J'ai fait des tas de choses, répond Scott, évasif.

Paul passe le ballon à Scott, qui tire et rate son panier. Jessie en est ravie.

– Comme quoi ? demande Adam.

Scott hausse les épaules.

– J'ai pas mal aidé ma mère, à la maison.

– Tu n'as pas pu économiser autant juste en faisant quelques tâches ménagères ! insiste Adam.

– Je t'assure que oui, répond Scott.

Il dribble longuement sur place, gardant le ballon pour lui. Ryan lève les mains pour le recevoir puisque c'est son tour de tirer, mais Scott ne le lui envoie pas.

– Impossible, reprend Adam.

– Qu'est-ce que tu insinues par là ? demande Scott.

– Exactement ce que j'ai dit. Que c'est *impossible* que tu aies économisé autant d'argent juste en faisant quelques tâches ménagères.

Ce qu'il insinue, pense Jessie, *c'est que tu as volé l'argent qu'Evan et moi avons gagné grâce à nos ventes de limonade, et que tout le monde le sait !*

Si seulement quelqu'un l'avait vu commettre son larcin, si seulement il y avait eu un *témoin oculaire* – comme on dit dans les séries policières à la télé ! Alors, Scott ne s'en serait pas tiré à si bon compte !

Une ombre se projette sur son livre ouvert. Jessie lève la tête. David Kirkorian est debout à côté d'elle.

Jessie ne connaît pas encore beaucoup d'élèves en quatrième année, mais David Kirkorian est une légende à l'école. On raconte qu'il collectionne tout un tas d'objets étranges chez lui. Par exemple, il garde sur son armoire un pot de noyaux de pêche dans lequel il ajoute un noyau chaque fois qu'il mange une pêche. Il a aussi une boîte pleine de lacets provenant de chacune des paires de chaussures qu'il a portées. Il possède même une grande enveloppe brune qui contient toutes les rognures de ses ongles d'orteils. En tout cas, c'est ce que dit la rumeur, mais Jessie est assez certaine que personne n'a vu cette fameuse enveloppe.

– Il est interdit de lire dehors durant la récréation, dit David.

– Je n'ai jamais entendu parler de ce règlement-là, répond Jessie.

– Ce n'est pas parce que tu ne connais pas un règlement que ce règlement-là n'existe pas.

David se met à se ronger un ongle, et Jessie se demande s'il collectionne aussi ceux de ses mains.

– C'est le règlement le plus bête que j'aie jamais entendu, reprend-elle.

– Pas du tout, dit David. Tu pourrais te faire écrabouiller en restant assise ici. Tu ne fais même pas attention. Une balle perdue pourrait t'atterrir sur la tête. Tu pourrais *mourir* !

Il se détourne d'elle et se dirige vers le surveillant. Jessie se sent rougir jusqu'aux oreilles. Qu'est-ce que David va lui dire ?

Elle se relève et s'empresse de prendre la direction de l'école. Elle dira à Mme Overton qu'elle a mal au ventre et ira à l'infirmerie. Mme Graham, l'infirmière, permet toujours aux élèves de s'allonger quelques instants avant de les renvoyer en classe. L'infirmerie est l'endroit idéal pour se reposer un peu et pour être tranquille. L'endroit idéal pour réfléchir. Et Jessie a beaucoup de choses en tête auxquelles elle doit réfléchir. Pas seulement aux règlements et à la récréation, mais aussi au fait qu'il est vraiment injuste que Scott échappe à toutes les punitions. Il est grand temps qu'elle trouve un moyen de remédier à cette situation.

– Le collectionneur de rognures, murmure Jessie alors qu'elle retourne à l'intérieur.

CHAPITRE 4

Ouï-dire

Ouï-dire ['widiʀ] n. m. inv. Paroles d'une tierce personne citées en son absence et dont la véracité ne peut être établie; rumeur. Les ouï-dire ne sont pas admissibles en cour de justice.

–Tu vois ? demande Megan en s'appuyant sur le dos de sa chaise. Ce sont les mêmes, n'est-ce pas ?

Leur devoir de mathématiques a pour sujet la symétrie. Il y a cinq formes différentes dessinées sur la feuille d'exercices et Evan doit trouver si chacune d'elles est symétrique ou non. Si c'est le cas, il doit tracer l'axe de symétrie. Megan a déjà tracé le premier axe pour lui donner un exemple.

Mais il est difficile à Evan de se concentrer et de penser « symétrie » quand il est assis aussi près de Megan.

– Celle-là est facile, dit-il en essayant d'avoir l'air malin : tout le monde sait que les cœurs sont symétriques.

– Pas tous les cœurs, répond Megan. Regarde celui-ci

– Wow ! C'est trop bizarre !

Les trois figures suivantes ne sont pas très complexes, et Evan n'a pas trop de mal à tracer l'axe de symétrie.

Mais la dernière lui pose une colle, et Megan doit l'aider.

– On a l'impression que la figure est symétrique, dit-elle, mais chaque fois qu'on trace un axe, où que ce soit, ça ne fonctionne pas. C'est juste un effet visuel. C'est Jessie qui me l'a expliqué. C'est vraiment un génie en maths, hein ?

Evan ne répond rien. Avoir une petite sœur capable de sauter une année, c'est comme avoir un meilleur ami champion de basket : on ne lui arrive pas à la cheville !

– Hé, Evan ? dit Megan dans un murmure en se penchant un peu plus vers lui.

Ils regardent tous deux Mme Overton qui parle au téléphone. Evan peut sentir le parfum du shampoing à la noix de coco de Megan. Ça lui rappelle la crème glacée à l'Ours polaire.

– Selon *toi,* comment est-ce que Scott Spencer a pu économiser autant d'argent pour acheter une 20/20 ?

Le léger sentiment de bien-être qui avait envahi Evan se dissipe sur-le-champ.

– Scott Spencer ? Aaargh, lui !

– Oui, je sais, reprend Megan en s'adossant à sa chaise et en jouant avec ses cheveux. Il fait toujours semblant d'être gentil devant les profs, mais dès qu'ils ont le dos tourné, il ne fait que des choses méchantes.

– Ouais, c'est du Scott tout craché, ça, grogne Evan.

– Tu sais, dit Megan en se penchant de nouveau vers lui, une fois, il m'a raconté que sa mère gagnait dix dollars à la *minute.* Tu crois que c'est possible ?

Evan pense à la maison des Spencer, aux vacances qu'ils prennent tous les ans – ski, Caraïbes, et même Europe – et il n'en doute pas une seule seconde.

– Absolument, dit-il. Si tu voyais où il vit !

– Il paraît qu'il a une nouvelle télé de la taille du tableau, reprend-elle en montrant du doigt le grand tableau blanc derrière Mme Overton.

– C'est possible, répond Evan. Qui pourrait s'imaginer qu'un gars aussi riche ait besoin de voler ?

Megan écarquille les yeux.

– Il vole vraiment ? Alyssa m'a dit une fois qu'il lui avait pris son bracelet à breloques dans son casier et qu'il avait ensuite fait semblant de l'avoir trouvé par terre. Juste pour l'impressionner. Mais je ne sais pas si elle dit vrai.

Evan meurt d'envie de lui raconter que Scott lui a volé 208 $, mais il ne peut pas.

– Il a chipé l'argent du dîner de Ryan, une fois. Une autre fois, il a pris une tablette de chocolat au dépanneur. Il vole tout le temps.

– L'as-tu vu voler l'argent ou la tablette de chocolat ? lui demande Megan en le regardant droit dans les yeux.

Evan fait non de la tête.

– Non, mais Ryan m'a dit que...

– Ce n'est qu'une rumeur alors, le coupe Megan. Il ne faut pas croire tout ce qu'on entend. C'est ce que mes parents disent toujours.

– Si tu le connaissais aussi bien que moi, tu saurais que c'est la vérité vraie.

– Peut-être. Mais je n'écoute pas les rumeurs. Les gens disent sûrement beaucoup de choses sur mon compte qui ne sont pas vraies. Et à ton sujet aussi, probablement !

Evan se demande si c'est vraiment le cas. Qu'est-ce que les gens pourraient bien dire de lui ? Est-ce que ses amis parlent de lui derrière son dos ? Ce n'est vraiment pas une pensée agréable.

Mais ce que Megan vient de lui dire le fait réfléchir quant à l'argent volé. Evan n'a pas vu Scott prendre l'argent, mais il a dit à tout le monde – à Paul, Ryan, Adam et Jack – que Scott l'avait pris. Et ils l'ont tous cru parce que… eh bien, parce que c'est la vérité ! Il en est sûr !

– Tu dis ça parce que tu ne connais pas suffisamment Scott, répond-il en secouant la tête.

Mais au fond de lui, il entend la voix de sa mère : *La rumeur est comme une volée de pigeons. Elle court partout et partout où elle passe, elle fait des dégâts.*

CHAPITRE 5

Accusé

Accusé(e) [akyze] n. m. (f.) Personne détenue en attente d'un procès ; personne qui comparaît devant la justice parce qu'on la soupçonne d'une infraction.

Jessie et Megan se rendent ensemble à l'école à pied et elles sont en retard. Jessie a appelé Megan à 7 h, à 7 h 30, puis à 7 h 55, *et même à 8 h 10*, mais peine perdue : son amie est encore sortie de chez elle en retard. (« Je suis en retard parce que tu n'as pas arrêté de m'appeler », a-t-elle grogné sur le pas de sa porte.) *Dix bonnes minutes de retard !* À présent, elles doivent se rendre à l'école au pas de course ou presque pour arriver avant que la cloche sonne.

En temps normal, Jessie n'aurait pas du tout regretté de rater la période de jeu libre avant le début de la classe, mais aujourd'hui, elle a des choses à faire. Précisément sur le terrain de jeu, avant l'entrée en classe, et sans adulte dans les pattes.

– Plus vite, plus vite, dit-elle à Megan.

Megan a beau avoir les jambes plus longues que les siennes, elle est ralentie par son sac à bandoulière qui ne cesse de lui rebondir contre les genoux.

– Pourquoi devons-nous arriver si tôt ? demande Megan.

Elle est à la traîne de dix bons pas derrière Jessie.

– Tu verras quand on sera à l'école. Cours, cours !

– Vous feriez mieux de vous dépêcher, les filles, leur dit Darlene alors qu'elles arrivent au passage pour piétons. J'ai déjà entendu la première sonnerie.

Jessie et Megan traversent la rue à grands pas, mais sans courir puisque c'est interdit.

– Oh non ! s'écrie Jessie tandis qu'elles tournent le coin de la rue, ils sont déjà en rang ! *Viiite !*

Lorsqu'elles arrivent enfin dans la cour de récréation, tous les élèves de quatrième année sont déjà en train de faire la queue, attendant le signal pour entrer en classe. Elles devraient se placer à la fin de la file, mais Jessie se dirige immédiatement vers le milieu, là où Scott Spencer essaie de faire tomber la casquette de baseball de la tête de Paul. Evan se trouve plus loin devant, en train de faire rebondir un ballon de basket. C'est lui, le responsable du matériel de jeux extérieurs, cette semaine, ce qui veut dire qu'il a la charge de sortir et de ranger les ballons, les cordes à sauter et les frisbees dont se servent les élèves de la classe pendant les récréations.

– Hé ! s'exclame Scott en voyant Jessie. La fin de la queue se trouve là-bas !

– Et puis après ? lui demande-t-elle en fouillant dans son sac à dos.

– Et puis après, tu ne peux pas passer devant les autres. *C'est le règlement !*

Jessie comprend bien qu'il se moque ouvertement d'elle.

– Je ne passe pas devant, dit-elle en sortant une feuille de son sac et en la tenant devant elle. Je suis ici pour te remettre une citation à comparaître comme témoin important.

Quelques garçons devant Scott se retournent, et des filles qui se trouvent derrière se rapprochent pour voir de quoi il est question.

– De quoi tu parles ? demande Scott.

– Tiens, prends ça, insiste Jessie en lui mettant le papier sous le nez.

Scott s'en saisit, apparemment bien décidé à le déchirer en mille morceaux.

– Parfait ! Tu l'as touché ! s'exclame Jessie. Ça veut dire que tu as reçu signification ! Maintenant, tu devras te présenter devant le tribunal pour répondre de tes actes !

Jessie est convaincue de son bon droit. Elle a lu en long, en large et en travers une brochure intitulée *Procès devant jury : tout sur le système judiciaire en un coup d'œil.* C'est un des documents que sa mère, consultante en relations publiques, a rédigés pour les employés du gouvernement.

Scott jette immédiatement le papier au sol comme s'il l'avait brûlé au fer rouge.

– Tu n'as pas le droit de faire ça !

– Oh oui, j'ai le droit ! répond Jessie. Maintenant que tu l'as touché, ça veut dire que tu l'as bien reçu. Tu vas devoir te présenter devant le juge et tu ne pourras pas t'en tirer comme ça !

– Me tirer de quoi exactement ? De quoi est-ce que tu parles ?

Tout le monde s'est tourné vers eux à présent. Evan a cessé de dribbler, mais il n'a pas bougé de sa place.

Jessie ramasse la citation et la lit à voix haute. Elle l'a écrite avec la plume de calligraphie que sa grand-mère lui a offerte pour son dernier anniversaire.

Citation à comparaître émise à Scott Spencer

Scott Spencer, par la présente,
vous êtes accusé d'avoir dérobé
la somme de 208 $ dans la poche
de short d'Evan Treski le
5 septembre dernier.
Vous êtes cité à comparaître
ce vendredi devant le tribunal
pour plaider votre cause. Alors,
un jury formé par vos pairs
jugera de votre culpabilité ou non.
Si vous êtes déclaré coupable,
votre peine...

Elle lit jusque-là avant que Scott ne l'interrompe.

–Tu plaisantes? dit-il en croisant les bras sur sa poitrine et en riant. C'est une blague, c'est ça?

Jessie fait non de la tête. Dans le rang de quatrième année, on n'entend plus un mot. Tout le monde observe Scott et Jessie. Elle reprend sa lecture.

–Si vous êtes déclaré coupable...

Scott l'interrompt de nouveau en se renfrognant et en fronçant les sourcils:

–Es-tu en train d'insinuer que j'ai volé de l'argent?

Jessie inspire profondément. Elle sait qu'on ne doit pas accuser les gens à la légère, surtout pour quelque chose d'aussi grave.

–En effet, répond-elle.

Des chuchotements parcourent le groupe de quatrième année.

–Et *toi*? demande Scott en se tournant vers Evan.

Scott se dirige vers lui en le pointant méchamment du doigt, mais Evan repousse sa main avant qu'il ait pu le toucher.

–*Toi aussi,* tu insinues que je t'ai volé de l'argent?

Jessie regarde Evan. Il fait rebondir son ballon deux fois avant de le bloquer et de l'observer longuement. Tout à coup, elle se dit qu'elle aurait dû parler de tout cela à Evan avant de faire quoi que ce soit. C'est lui la victime du vol. Lui qui va devoir jouer tous les jours avec Scott à la récréation. Lui qui va avoir à témoigner contre Scott au procès.

Mais il est trop tard à présent. Tout le monde les regarde. Tout le monde attend de voir ce qui va se passer.

Evan recommence à dribbler : un bond, deux bonds, trois bonds. Jessie sait qu'il réfléchit. Evan réfléchit avec tout son corps, pas seulement avec son cerveau.

– Je ne l'insinue pas, répond calmement Evan. Je le déclare. Je t'accuse de m'avoir volé de l'argent.

La ligne que formaient les élèves de quatrième année s'est transformée en un croissant de lune irrégulier dont les deux extrémités observent ce qui se passe au milieu.

Maintenant qu'Evan a formellement accusé Scott de lui avoir volé de l'argent, le croissant de lune se désagrège : chacun s'approche pour mieux entendre ce que Scott va répondre.

Mais Jessie est la première à parler.

– Si vous êtes déclaré coupable, votre sentence sera la suivante : vous devrez donner votre nouvelle Xbox 20/20 à Evan Treski.

– Même pas en rêve ! crie Scott, mais on l'entend à peine avec tout le brouhaha qui s'est élevé autour d'eux.

Cette punition est-elle juste ? Chacun s'empresse de se prononcer sur la question.

– Hé ! Mais qu'est-ce qui va se passer s'il est déclaré non coupable ? demande Ryan.

Jessie secoue la tête.

–C'est peu probable, dit-elle.

–Ah oui? Tu vas voir, espèce de crétine! s'écrie Scott. Et quand je serai déclaré innocent, voici ce qui va se passer : tous les deux (il montre du doigt Jessie et Evan), vous vous tiendrez debout au milieu du cercle de la réunion du matin et vous direz à tout le monde, y compris à Mme Overton, que vous avez raconté des mensonges sur mon compte et que je n'ai volé l'argent de personne. Ensuite, vous me présenterez des excuses. *Devant tout le monde !*

–Les enfants ! Mais qu'est-ce que c'est que ce rang ? demande Mme Overton, la consternation visible sur son visage.

Les élèves se remettent en rang correctement et se dirigent vers la classe. Mais Evan, Jessie et Scott continuent de se dévisager.

–Marché conclu ? demande Scott.

–Marché conclu ! répond Evan avant de leur tourner le dos pour entrer.

–Je vais mettre tout ça par écrit, précise Jessie, en secouant la citation à comparaître sous le nez de Scott.

Puis, elle saisit son sac à dos et se précipite à la suite des autres, le sourire aux lèvres.

Bientôt, justice sera faite.

Accord de réparation faisant suite au procés de Scott Spencer

Si le tribunal déclare Scott Spencer COUPABLE d'avoir volé 208 $ dans la poche de short d'Evan Treski le 5 septembre dernier, il s'engage à donner pour toujours sa Xbox 20/20 à Evan Treski.

Si le tribunal déclare Scott Spencer NON COUPABLE d'avoir volé 208 $ dans la poche de short d'Evan Treski le 5 septembre dernier, Evan et Jessie Treski s'engagent à se lever durant la réunion du matin du lundi suivant le procès, à dire devant toute la classe que Scott Spencer n'a pas volé 208 $ de la poche de short d'Evan Treski le 5 septembre dernier, et à présenter des excuses publiques pour avoir raconté des mensonges sur son compte.

Jessie Treski   EVAN TRESKI   Scott Spencer

CHAPITRE 6

Impartial

Impartial, e, aux [ɛ̃paʁsjal, o] adj. Qui ne favorise pas l'un aux dépens de l'autre ; qui n'exprime aucun parti pris ; juste.

À l'heure de la récréation, Jessie ne perd pas une seule seconde. Evan la voit sortir des fiches une à une d'une grande enveloppe. Tous les élèves de quatrième année se sont attroupés autour d'elle.

– Tu es le demandeur, lui dit-elle en lui tendant une fiche verte sur laquelle est écrit « DEMANDEUR ». Ça veut dire que tu es la victime.

Evan étudie la fiche et la met dans la poche arrière de son short. L'idée d'un tribunal composé d'enfants lui paraît complètement farfelue : une idée farfelue à la Jessie. Mais il a l'habitude de ce genre d'idées, et celle-ci pourrait lui valoir une Xbox 20/20, sans parler de la satisfaction de prouver la culpabilité de Scott devant tout le monde. Ne serait-ce que pour cette dernière raison, il accepte de jouer le jeu.

– Je suis l'avocate d'Evan, reprend Jessie, en sortant une fiche violette portant l'inscription « AVOCATE DU DEMANDEUR ».

Ensuite, elle se tourne vers Scott.

– Tu es l'accusé, ce qui veut dire que c'est ton procès.

Elle lui tend une fiche jaune indiquant « ACCUSÉ ».

Puis elle se met à distribuer des fiches orange.

– Hé ! s'écrie Scott. Je n'ai pas droit à un avocat, moi ?

– Attends ! Tu vas bientôt en avoir un, lui répond-elle sèchement.

Elle poursuit la distribution des fiches.

– Je veux Ryan, reprend Scott.

– Désolé, lui répond Ryan en lui montrant sa fiche orange. Je fais partie des témoins.

– Alors je veux Paul !

– Il est témoin lui aussi, répond Jessie en donnant la dernière fiche cartonnée orange à Paul. Toutes les personnes présentes chez Jack le jour du vol sont des témoins.

– Mais qui va être mon avocat alors ? demande Scott en écrabouillant sa fiche d'ACCUSÉ.

Jessie ignore sa question. Elle sort une fiche violette.

– Megan, tu seras jurée, dit-elle.

Le cœur d'Evan fait un bond dans sa poitrine. Il aura au moins une personne de son côté au moment des délibérations.

–Quand aura lieu le procès ? demande Megan.

–Vendredi, après l'école, répond Jessie.

Megan secoue la tête.

–Je pense que nous partons, en fin de semaine.

–Mais tu ne peux pas rater le procès ! s'écrie Jessie.

Evan a eu envie de crier la même chose, mais il s'est retenu de justesse.

–Je vais en parler à ma mère, reprend Megan. Peut-être que nous pourrons partir plus tard, mais tu ferais mieux de donner cette carte à quelqu'un d'autre.

Elle rend la fiche à Jessie.

–Bon, d'accord, dit Jessie, de toute évidence déçue. Prends l'une de celles-ci alors.

Elle tend à Megan une fiche blanche sur laquelle il est écrit « PUBLIC ».

Il ne faut pas plus d'une minute à Jessie pour distribuer les douze cartes JURÉ et le reste des cartes PUBLIC. Toutes les personnes du public sont des filles, puisque tous les témoins sont des garçons et que le jury, comme l'explique Jessie, doit être composé à part égales de filles et de garçons : « moitié-moitié », donc.

Evan regarde autour de lui. C'est vraiment bizarre que tout le monde accepte de participer au projet de Jessie. Chacun sait bien pourtant que tout ça, c'est du théâtre. Et comment se fait-il que Jessie connaisse tous ces trucs judiciaires ? Comment se fait-il qu'elle sache toujours plein de choses qu'il ne sait pas, lui ?

Jessie réunit les six filles qui ont une fiche PUBLIC en leur possession, puis elle se tourne vers Scott.

– Tu peux choisir comme avocat n'importe qui parmi le PUBLIC. Techniquement, nous n'avons pas vraiment besoin d'un public – sans vouloir vous offenser, les filles.

– Je n'ai pas envie que mon avocat soit une *fille* ! lance Scott, hargneux.

– Comme tu veux, dit Jessie en haussant les épaules. Mais ne viens pas te plaindre après en disant qu'on ne t'a pas proposé d'avocat de la défense.

– Des filles ! Tu parles d'une offre ! Je serai mon propre avocat. Je vais défendre mes propres droits ! s'exclame Scott avant de montrer Jessie du doigt. Et je serai meilleur que toi !

C'est du Scott tout craché, ça, se dit Evan. Toujours à penser qu'il est le meilleur, à être celui qui a ce qu'il y a de mieux, les vacances les plus géniales, et tout ça.

– Entendu, dit Jessie. Tu seras ton propre avocat.

Il ne reste plus qu'une seule fiche dans son enveloppe. Evan regarde sa sœur la sortir lentement. Le carton est rouge. Il n'affiche qu'un mot.

Jessie regarde autour d'elle comme si elle était en train de prendre une décision très importante, mais Evan sait qu'elle a déjà choisi la personne qui va recevoir ce carton rouge. Jessie ne laisse jamais rien au hasard.

– Le juge sera… David Kirkorian.

Un silence de mort lui répond.

Puis Paul s'écrie :

– Tu plaisantes !

– Il ne peut pas être juge, poursuit Ryan. Il collectionne des os humains !

– C'est faux ! dit David, le rouge aux joues, alors qu'il saisit le carton tout aussi rouge que lui tend Jessie.

Alors, tout le monde se met à parler en même temps, pendant que David brandit la fiche rouge en claironnant : « Ha ha ! C'est moi le juge ! C'est moi le juge ! » Ils font un tel vacarme que le surveillant, alerté, vient voir ce qui provoque cette agitation parmi les élèves de quatrième année. Mais personne ne tient à ce qu'il se mêle de cette affaire. Alors tous se taisent, fidèles à l'une des règles d'or de la cour de récréation : *Ne jamais raconter au surveillant ce qui se passe vraiment.*

– Pourquoi lui ? demande Paul une fois le surveillant parti.

– Parce qu'il est le seul élève de la classe qui soit vraiment impartial, répond Jessie. Il n'est ni l'ami d'Evan ni celui de Scott. Il sera neutre et juste. Il n'aura pas de préférence. Et c'est la qualité première d'un juge. Un juge doit traiter tout le monde de la même manière.

David lève le carton rouge d'une main et porte l'autre sur son cœur.

– Je jure solennellement d'être un juge impartial, dit-il.

– Parfait, lui répond Jessie.

Evan a du mal à y croire. Qui va écouter un gars comme David Kirkorian ?

À partir de ce moment-là, la journée d'Evan se met à glisser sur une pente descendante. Tout l'après-midi, en classe, ils font des choses qu'il déteste : arithmétique, règles orthographiques et atelier d'écriture. Ensuite, Mme Overton constate qu'il manque une corde à sauter dans la caisse de leur classe, et comme il est le responsable du matériel cette semaine, c'est sa faute.

Mais ce qui pourrit définitivement sa journée, ce qui la fait passer de la catégorie « journée nulle » à la catégorie « carrément l'une des dix pires journées de ma vie », se déroule après l'école.

Evan est en train de mettre son casque quand Adam le rejoint au support à bicyclettes et détache son vélo.

– Tu veux venir à la maison ? demande Evan.

– Je ne peux pas, répond Adam. J'ai promis à ma mère de l'aider à ranger la maison pour Yom Kippour.

– C'est aujourd'hui ? demande Evan en attachant son casque.

– Ça commence vendredi soir, mais ma mère veut que je range ma chambre aujourd'hui et que je l'aide à faire d'autres trucs aussi.

Evan sait que durant la fête de Yom Kippour, les adultes ne mangent pas de toute la journée. C'est censé les aider à réfléchir à leurs péchés, mais Evan ne comprend pas bien comment. Quand il a faim, il lui est impossible de penser à autre chose qu'à ce qu'il va manger.

–Tu veux venir au repas de fin du jeûne? demande Adam.

Les Goldberg mangent toujours un dîner gargantuesque à la tombée du jour quand la période de jeûne se termine.

–Bien sûr, répond Evan.

Il soupe souvent chez Adam et Paul les vendredis soir. Il aime les bougies, et même les prières dont il ne comprend pas un mot, mais surtout, il adore la nourriture : le pain challah, le poulet rôti et le strudel aux pommes.

– Est-ce que tu vas passer toute la journée sans manger, cette année? demande Evan.

Il se rappelle qu'Adam s'était vanté l'an dernier en annonçant qu'il allait faire le jeûne cette année à Yom Kippour.

Son ami hausse les épaules.

–Je vais peut-être essayer.

Puis Adam regarde la roue avant de son vélo, qu'il fait rebondir sur l'asphalte à plusieurs reprises.

–Écoute, euh... Il y a quelque chose que je voulais te dire. Tu te rappelles la fois, cet été, où Paul, Kevin et moi t'avons faussé compagnie dans le bois?

–Oui...? dit Evan, se demandant pourquoi Adam remet sur le tapis quelque chose qui s'est passé il y a plusieurs mois déjà.

Evan était vraiment furieux sur le coup, mais maintenant, c'est de l'histoire ancienne.

– Eh bien, je suis vraiment désolé et j'espère que tu pourras me pardonner.

Evan le regarde, perplexe. Adam hausse de nouveau les épaules.

– Écoute, c'est pour Yom Kippour. C'est le Jour du Grand Pardon. On doit demander pardon à tous les gens pour nos péchés.

Evan se met à rire.

– Tu es vraiment nouille !

Il pousse gentiment Adam de l'épaule. Adam a un petit sourire en coin, fait mine de donner un coup de poing à Evan, puis monte sur son vélo et s'en va.

Evan s'apprête également à partir quand il voit Paul et Ryan. Il pédale sur l'asphalte et leur coupe la route avant qu'ils n'atteignent la clôture de l'école. Avant qu'Evan ait pu dire quoi que ce soit, Paul passe un bras autour de ses épaules, le faisant presque tomber de vélo.

– Hé, Evan ! Je voulais te remercier d'avoir encaissé les reproches à ma place quand Charlie s'est sauvé en se libérant de sa laisse. Je te revaudrai ça !

– Pas de problème, répond Evan en haussant les épaules. Pas de quoi en faire un plat.

Evan et Paul ont pour habitude de s'accuser à la place de l'autre pour éviter les ennuis avec leurs parents respectifs. Les parents ont tendance à y aller beaucoup plus mollo avec les enfants des autres.

–Ça vous tente de venir à la maison ? demande Evan, en équilibre sur son vélo.

–Non, on va chez Scott, répond Paul.

Evan plaque ses pieds au sol et les regarde l'un après l'autre.

–Il a dit qu'on pourrait essayer la 20/20, précise Ryan. Il paraît que c'est absolument génial ! Tu devrais venir aussi.

Evan a l'impression d'avoir reçu un uppercut qu'il n'a pas vu venir.

–Pas question ! crie-t-il.

Il fixe Paul, puis Ryan, son visage exprimant clairement ce qu'il pense au fond de lui : *Sales traîtres !* Mais aucun des deux garçons n'ajoute un mot. Finalement, Evan reprend la parole, calmement.

–Je ne peux pas croire que vous allez chez lui.

–Il ne nous a rien fait, à nous, dit Paul en haussant les épaules.

–Super ! Vive l'amitié !

–Allez, Evan, reprend Paul, viens avec nous. Tu n'es même pas certain que c'est lui qui a pris l'argent...

–Je le sais !

–Tu devrais venir, renchérit Ryan. Tout le monde y va, après l'école.

Evan imagine toute la classe de quatrième année se rendant chez Scott. Tous ses amis. Et lui, où sera-t-il ? À la maison, avec sa petite sœur.

–Qui ? demande-t-il. C'est qui, « tout le monde » ?

–Tous les gars, dit Paul. Tu sais, moi, Ryan, Jack, tout le monde.

–Mais pas Adam, précise Evan, soulagé d'avoir au moins un ami fidèle.

–C'est que... il doit aider sa mère à faire des trucs à la maison, reprend Ryan, mais il nous rejoindra quand il aura fini. Dans une heure, à peu près.

Evan secoue la tête, incrédule. Son meilleur ami lui plante un couteau dans le dos. Il tire d'un coup sec son guidon et s'éloigne de Paul et de Ryan sans ajouter un mot.

CHAPITRE 7

Diligence raisonnable

Diligence raisonnable [diliʒɑ̃s ʁɛzɔnabl̥] loc. n. Attitude qui consiste à consacrer le temps et les efforts nécessaires pour réaliser un travail raisonnablement correct; le contraire de négligence.

– Est-ce qu'on peut faire une pause maintenant? demande Megan en se redressant sur les genoux.

Elle tient à la main un marqueur bleu comme s'il s'agissait d'un cierge allumé. Ses doigts sont couverts d'encre de toutes les couleurs, et un crayon est glissé dans sa queue-de-cheval.

Allongée sur le ventre, tous les crayons-feutres de sa boîte étalés devant elle, Jessie estime impossible de faire la moindre pause pour le moment. Le procès a lieu demain et il reste encore tant de choses à préparer!

Elle a déjà interrogé les cinq témoins qui vont faire leur déposition au procès – Paul, Ryan, Kevin, Malik et Jack – pour savoir ce qu'ils se rappellent exactement de ce qui s'est passé le jour du vol chez Jack. Elle a préparé des fiches pour David Kirkorian lui expliquant ce qu'il doit dire exactement au moment du procès.

AU DÉBUT DU PROCÈS :

Tu frappes de ton marteau et tu dis :
« Silence ! Veuillez vous lever.
La Cour, présidée par l'honorable juge David P. Kirkorian, est ouverte. »

SI QUELQU'UN PARLE ALORS QU'IL NE DEVRAIT PAS AVOIR LA PAROLE :

Tu dis : « Silence dans la salle !
Silence dans la salle ! Encore un mot, et je vous inculpe d'outrage au tribunal ! »

QUAND TU FAIS PRÊTER SERMENT À UN TÉMOIN :

Tu dis : « Jurez-vous de dire la vérité, toute la vérité, rien que la vérité ? »

Elle s'emploie pour l'instant à terminer le coloriage du plan de la salle d'audience, qui indique où chaque personne qui participe au procès doit prendre place. Et il lui reste encore sa plaidoirie finale à rédiger !

Pour la première fois de sa vie, Jessie a l'impression de se rendre à un contrôle sans avoir suffisamment étudié.

– On a presque fini, dit-elle à Megan. As-tu terminé les cartons d'identification ?

Megan montre à Jessie les douze insignes des jurés,

les cinq insignes des témoins

et celui du juge.

– Ils sont super, dit Jessie. Il ne te reste plus qu'à faire les cartons du public.

Megan grogne avant d'ajouter :

– Ce n'est pas pour rien qu'Evan t'appelle « Obsessive Jessie » !

Jessie déteste ce surnom. À vrai dire, elle déteste tous les surnoms ! Pourquoi Evan a-t-il confié ça à Megan ?

–Je ne suis pas obsessive, c'est juste que je travaille dur. C'est ce qu'on appelle la...

Jessie réfléchit un moment, mais ne parvient pas à se souvenir du mot qu'elle a sur le bout de la langue. Elle cherche dans le fouillis qui se trouve par terre et trouve l'exemplaire du *Procès devant jury*, la brochure que sa mère a écrite. Elle la feuillette rapidement.

–Nous travaillons là-dessus depuis des heures ! se lamente Megan. Je veux aller dehors !

–... diligence raisonnable ! s'exclame Jessie. Ça veut dire : faire son travail comme il faut pour que, plus tard, personne ne puisse te critiquer et dire que tu n'as pas fait suffisamment d'efforts !

–Oui, eh bien la diligence raisonnable, c'est POCHE ! déclare Megan.

Elle saisit la règle que Jessie a utilisée pour tracer des lignes bien droites sur son plan et la fait tenir en équilibre dans sa paume. Elle est vraiment très douée ! Jessie est impressionnée.

–Tu penses réellement que tu vas pouvoir prouver que Scott a volé l'argent d'Evan ? lui demande Megan soudainement.

Jessie sent sa gorge se serrer.

C'était la question à ne pas poser.

La question qui n'a pas cessé de lui trotter dans la tête la nuit dernière, alors qu'elle était allongée dans son lit et qu'elle ne parvenait pas à trouver le sommeil.

—Je ne sais pas. Mais j'ai plutôt intérêt.

Jessie s'imagine un court instant, debout devant toute la classe, obligée de présenter ses excuses à Scott en public. Cette vision lui donne envie de vomir.

Megan pose la règle et se laisse tomber sur le dos, les bras et les jambes écartées, comme une étoile de mer. Elle prend le plan de la salle d'audience que Jessie a dessiné et qui assigne à chaque participant une place bien précise.

En fait, la salle d'audience n'a rien d'une salle. C'est le coin d'herbe de la cour de récréation qui se trouve le plus loin possible de l'école et du terrain de basket, à l'ombre d'une rangée d'ormes. Jessie a dessiné avec grande précision l'endroit où ils vont poser la caisse, les cordes à sauter et les ballons, et elle a assigné une place à chaque participant. Tous les noms sont écrits, accompagnés d'un petit symbole.

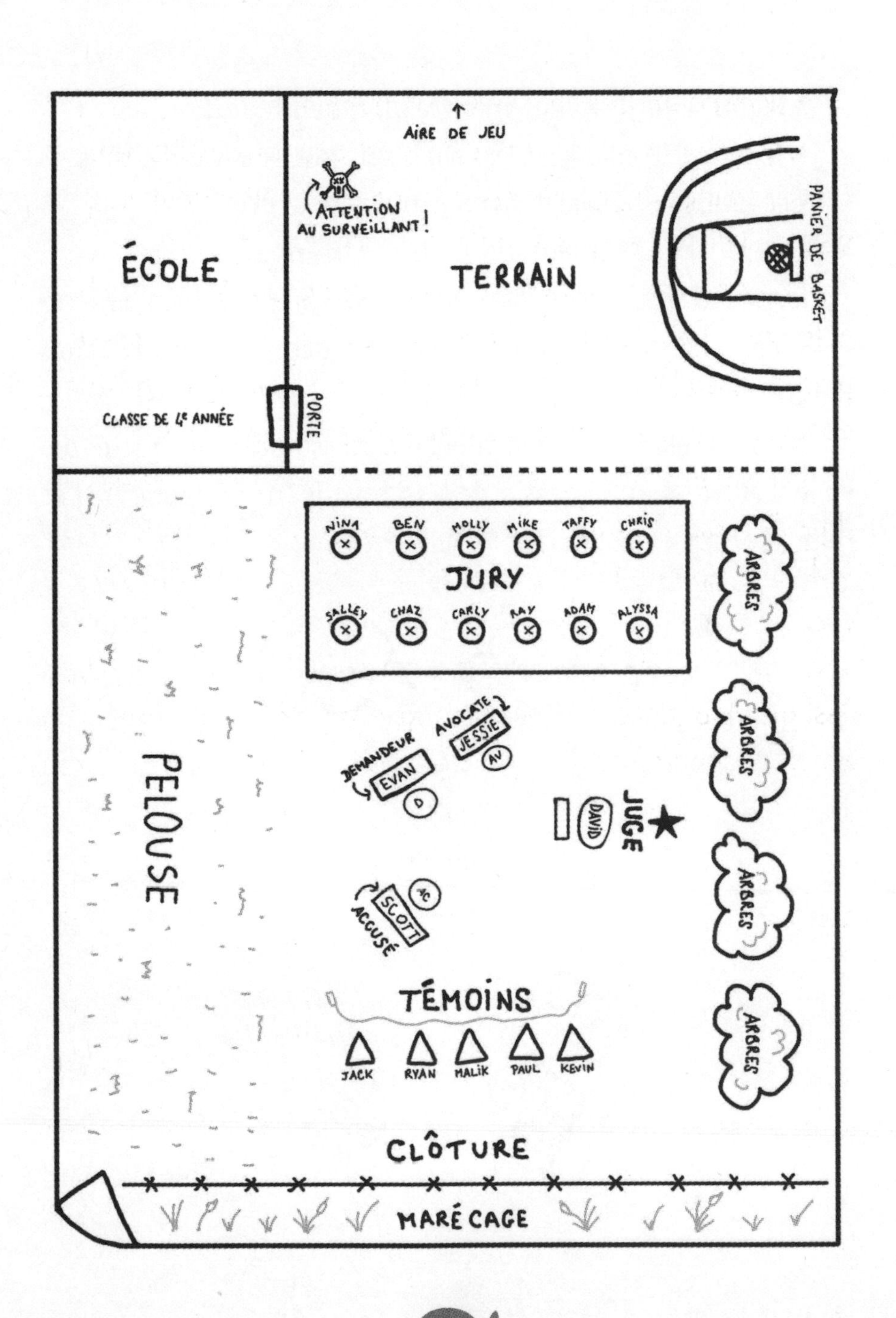
AIRE DE JEU
ATTENTION AU SURVEILLANT !
ÉCOLE
TERRAIN
PANIER DE BASKET
CLASSE DE 4e ANNÉE
PORTE
NINA
BEN
MOLLY
MIKE
TAFFY
CHRIS
JURY
SALLEY
CHAZ
CARLY
RAY
ADAM
ALYSSA
ARBRES
ARBRES
ARBRES
ARBRES
AVOCATE
JESSIE
AV
DEMANDEUR
EVAN
D
PELOUSE
JUGE
DAVID
AC
SCOTT
ACCUSÉ
TÉMOINS
JACK
RYAN
MALIK
PAUL
KEVIN
CLÔTURE
MARÉCAGE

Megan regarde longuement le plan avant de dire :

– Je vois déjà ça d'ici. Mais il y a quelque chose qui cloche…

Elle tourne la feuille d'un côté, puis de l'autre.

– Ce n'est pas symétrique, ou je me trompe ?

Jessie regarde le plan. De quoi Megan peut-elle bien parler ?

– Tout est censé être équilibré, n'est-ce pas ? Égal ? Mais regarde !

Megan retire le crayon qu'elle a glissé dans sa queue-de-cheval et trace sur le dessin de Jessie, sans trop appuyer sur la mine, une ligne droite en pointillés.

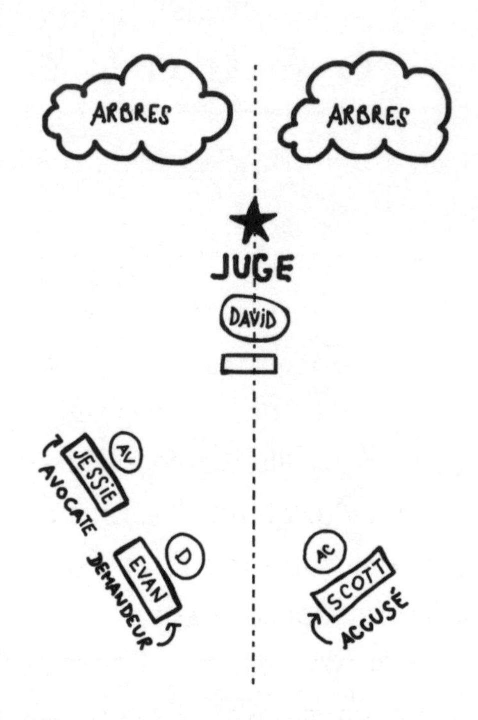

—Scott n'a pas d'avocat, reprend-elle. Evan et lui ne sont pas à égalité. Alors, tout ça n'est pas vraiment *juste,* tu sais. Je veux dire par rapport à Scott.

—C'est sa faute aussi, répond Jessie.

Elle a tant travaillé sur son plan qu'il lui est impossible d'accepter la moindre critique.

—Oui, mais tout de même, poursuit Megan, c'est la loi, il me semble ? Quelqu'un qui a été arrêté a le droit d'avoir un avocat pour le défendre, non ? Même si tu es pauvre ou que personne ne t'aime. Ou même si tout le monde te croit coupable. Tu as droit à un avocat. C'est toujours comme ça que ça se passe à la télé.

Jessie hausse les épaules.

—Il veut se défendre lui-même. C'est tout à fait légal.

Megan secoue la tête.

—Il a dit ça seulement parce qu'il ne pouvait choisir personne. Je veux dire, parmi les garçons.

Megan pose de nouveau les yeux sur le plan.

—En tout cas, ça ne m'a pas l'air très juste.

—Qu'est-ce que tu veux dire ? demande Jessie, qui aimerait bien pour une fois que quelqu'un s'exprime clairement. Est-ce que tu es en train de dire que je me trompe ?

Megan croise les bras sur sa poitrine.

—Ce que je suis en train de dire, c'est que ça ne me semble pas juste qu'Evan ait un avocat et pas Scott. Et tu le sais très bien, Jessie.

Tu le sais mieux que personne, en fait. Car après tout, tu es Jess la Justesse.

Un nouveau surnom? Est-ce que c'est une insulte? La manière dont Megan a prononcé «Jess la Justesse» ne semble pas être une injure. Mais Jessie n'en est pas bien sûre. Parfois, les gens disent les choses d'une manière, mais pensent exactement le contraire. C'est ce qu'on appelle le *sarcasme*, et Jessie ne le saisit jamais. Comme si cette moquerie était une balle de baseball qu'on lui aurait envoyée à toute vitesse, beaucoup trop fort pour qu'elle puisse faire autre chose que de frapper dans le vide.

Dehors, les rebonds d'un ballon de basket se font entendre: c'est sans doute Evan qui fait des paniers. A-t-il seulement conscience de tout le travail qu'elle abat rien que pour *lui*?

Puis les rebonds cessent et elle entend une voiture s'engager dans l'allée. Megan l'entend aussi.

– C'est ma mère, dit-elle. Faut que j'y aille.

Megan a rendez-vous chez le dentiste à seize heures.

Pour la toute première fois, Jessie est heureuse de voir son amie lui tourner le dos.

CHAPITRE 8

Défense

Défense [defɑ̃s] n. f. Argumentation présentée au tribunal pour prouver l'innocence de l'accusé; (sport) le fait de protéger ses buts contre l'équipe adverse.

Il ne fait plus assez chaud pour suer, mais Evan transpire à grosses gouttes. Deux longs fleuves, torrentiels, dévalent le long de ses joues, et chaque fois qu'il pivote sur lui-même, il sent des gouttelettes décoller du bout de ses cheveux.

Il va réussir ce tir coûte que coûte.

Il s'y est entraîné tout l'après-midi. À vrai dire, il s'y est exercé tout le mois. Il essaie de réaliser un tir en vrille depuis la ligne des lancers francs, à presque cinq mètres du panier. Il doit se tenir dos au panier, puis sauter, tourner en l'air et tirer. Pour rendre les choses un peu plus complexes encore, il lance de la main gauche. Tous les grands joueurs en sont capables – tirer de leur main faible et pourtant marquer un panier. Son père avait l'habitude de lui dire : « Travaille tes points faibles et aucune défense ne pourra te contrer. »

Evan se place dos au panier et plante fermement les pieds au sol, là où des lignes blanches ont été peintes sur l'allée. Il dribble une fois, deux fois, trois fois, puis – comme une fusée quittant sa rampe de lancement – il s'élève dans les airs et pivote sur lui-même. Alors que l'attraction terrestre se rappelle à lui, qu'il retombe rapidement vers le plancher des vaches, il lance le ballon vers le panier et...

Raté !

Parfois, il atteint son but, d'autres fois non. Il y arrive environ une fois sur dix. Mais Evan veut inverser la tendance : il ne veut *rater* qu'une fois sur dix ! C'est un tir mortel ! S'il avait ce genre de tour dans son sac, personne ne pourrait le battre dans la cour de récréation.

Il recommence. Dribble une fois, deux fois, trois fois...

– Salut, Evan !

Evan se redresse et regarde vers la rue. Megan pédale dans sa direction. Elle freine, descend de vélo et vient vers lui. Evan s'ébroue pour chasser le plus gros de la sueur de ses yeux, puis il s'essuie le visage avec la manche de son t-shirt : les filles n'aiment pas la sueur.

– Je croyais que tu avais rendez-vous chez le dentiste, dit-il, alors qu'elle pousse son vélo jusque dans l'allée.

– Ça n'a pas duré longtemps. C'était juste un examen de routine. Est-ce que Jessie est toujours là ? demande-t-elle en montrant la maison d'un signe de la tête.

– Ouais. Elle continue les préparatifs pour le Jour J.

Evan appréhende vraiment beaucoup le procès. Tous les élèves de quatrième année vont y assister – dans la cour de récréation, demain, après l'école. Que va-t-il se passer si Jessie ne parvient pas à prouver que Scott Spencer est coupable ? Elle n'est pas une vraie avocate, après tout. Et Evan peut-il vraiment compter sur le soutien de ses amis ? Apparemment, cette semaine, Paul et Ryan se sont rendus tous les jours chez Scott après l'école. Peut-être que d'ici le procès, tous les gars vont prendre le parti de Scott. Evan se voit un court instant debout devant toute la classe, présentant ses excuses à Scott. Il dribble, comme si les bonds du ballon allaient pouvoir chasser cette pensée.

– Ouah... Elle est vraiment...

– Obsessive.

Evan termine la phrase de Megan avant qu'elle ait pu le faire. Puis il repense à ce que lui-même a fait tout l'après-midi. Combien de fois a-t-il lancé ce ballon ? Cent ? Deux cents ? Et il a bien l'intention de continuer jusqu'à ce qu'il fasse nuit noire et qu'il ne puisse plus voir le panier. Alors, c'est peut-être dans les gènes de la famille Treski que d'être obsessionnel et de viser l'infini.

–Tu as passé tout ton après-midi ici? demande Megan comme si elle pouvait lire dans ses pensées.

–Je m'entraîne pour réussir un tir en particulier. Tu veux voir?

Megan hausse les épaules, mais sourit, alors Evan décide que ça veut dire « oui ». Il place ses pieds, puis amorce son rythme de dribble. *Pourvu que j'y arrive, pourvu que j'y arrive, pourvu que j'y arrive,* se répète-t-il, alors qu'il fait rebondir le ballon.

Mais il n'y arrive pas. Le ballon heurte le cerceau, et Evan doit courir à toute vitesse pour l'empêcher de rouler dans la rue.

–Tu l'avais presque, dit Megan. Tu es vraiment très bon.

Evan fait non de la tête, alors qu'il revient en dribblant vers le milieu de la bouteille qui est peinte sur l'asphalte de l'allée du garage.

–« Presque », ça ne compte pas au basket. Tu mets le ballon dans le panier, ou tu ne le mets pas.

–C'est toujours mieux que ce que j'aurais fait, reprend-elle. Pourtant, je suis la meilleure tireuse de mon équipe.

Evan hausse les sourcils, curieux.

–Tu joues au basket?

–Et au soccer, répond-elle. Mais je suis meilleure au basket.

–C'est vrai? Tu arrives à faire des paniers à trois points?

Megan rit.

–À l'occasion.

–Alors montre-moi, insiste Evan.

Il lui lance le ballon. Elle le reçoit et dribble jusque derrière la ligne des trois points.

Evan observe Megan. Il la regarde dribbler, regarde sa queue-de-cheval sautiller de droite à gauche, et ses bracelets danser le long de son avant-bras.

–J'y vais! annonce-t-elle. Mais pas de quoi retenir ton souffle, je te préviens.

Elle lève le ballon au-dessus de sa tête, puis le lance devant elle dans un arc de cercle parfait, comme le jet d'eau propulsé par un tuyau d'arrosage. Il atterrit au beau milieu du panier.

–Génial! s'exclame Evan en attrapant le ballon au rebond et en marquant sans difficulté après un double-pas. Tu veux qu'on fasse quelques lancers? On pourrait jouer à HORSE? Ou faire un « un contre un »?

À peine Evan a-t-il posé la question que son estomac se recroqueville sur lui-même. Comment défendre le panier contre son adversaire sans jamais le toucher?

–Je ne peux pas, répond Megan en regardant vers la rue. Je dois aller chez quelqu'un.

–Chez qui? demande Evan en faisant passer le ballon entre ses jambes.

Il est doué pour tirer, mais il est encore meilleur dribbleur. Le jour où il sera chez les pros, il occupera sûrement la position de meneur. Évidemment, le meneur n'est pas celui qui récolte tous les lauriers, mais il n'en est pas moins le roi du terrain.

Megan lui montre vaguement une maison de la main au bout de la rue, alors qu'elle remet son casque, mais ne répond pas à sa question.

Evan arrête de dribbler.

–Chez qui, alors ?

Megan donne un petit coup à sa pédale, comme pour rétrograder, et les roues dentées du plateau lâchent un craquettement proche du chant des cigales en plein été.

–Chez Scott. Il m'a dit que je pourrais essayer sa nouvelle 20/20.

Ces quelques mots donnent à Evan l'impression d'avoir reçu un violent coup de coude dans les dents. Il serre fort le ballon entre ses doigts.

–Vous êtes devenus les meilleurs amis du monde, maintenant ?

Megan soupire.

–Pas besoin d'être *les meilleurs amis du monde* pour aller chez quelqu'un.

–Pourtant, apparemment, tout le monde est devenu le meilleur ami du monde de Scott, récemment.

La Xbox 20/20 est au centre de toutes les conversations ces jours-ci. Scott a l'attention de tous les élèves, il est devenu le nombril du monde. Et maintenant… maintenant, Megan aussi va se rendre chez lui. De rage, Evan lance le ballon contre la porte du garage. Un bruit mat retentit dans l'allée quand le ballon entre en contact avec la surface métallisée. Il le lance de nouveau. Un peu plus fort.

–On dirait qu'il n'y a plus rien d'autre au monde que cette débile de console !

En prononçant cette vérité à voix haute, Evan prend conscience de quelque chose. Scott n'a pas besoin d'un avocat pour le procès, il a déjà la meilleure défense possible en ville : la 20/20. Personne ne va déclarer Scott coupable et risquer de perdre le privilège de jouer avec la console la plus *cool* jamais inventée.

–Oh, allez, reprend Megan. Je parie que toi aussi, tu meurs d'envie de l'essayer.

Evan ne répond pas. Il se contente de continuer à lancer le ballon contre la porte du garage.

Megan enfourche de nouveau son vélo.

–On se revoit à l'école ! lance-t-elle en s'éloignant.

Quand elle est presque arrivée au bout de la rue, Evan lui répond en criant :

–On se revoit *au tribunal !*

CHAPITRE 9

De bonne foi

De bonne foi [də bɔn fwa] loc. n. Attitude de quelqu'un qui parle ou agit avec la conviction d'être honnête, de respecter la vérité ; authentique.

Jessie est suspendue tête en bas sur la plus haute barre de l'aire de jeu de la cour de récréation. Aujourd'hui, décide-t-elle, sera le meilleur de tous les vendredis. Après les cours, tous les élèves de quatrième année vont se réunir sur la pelouse pour assister au procès. Même Megan sera là, puisqu'elle a réussi à convaincre ses parents de partir un peu plus tard pour la fin de semaine. Mme Overton leur a déjà donné son accord pour utiliser le matériel de jeux extérieurs de l'école. Jessie a pris soin d'apporter son plan et ses notes. Elle a répété sa plaidoirie finale au moins vingt fois. Evan l'a écoutée et lui a même donné de très bons conseils pour améliorer son argumentation. *Aujourd'hui sera une super journée,* pense-t-elle.

C'est le moment précis que choisit Scott Spencer pour venir se planter pile en face d'elle.

–C'est ma *mère* qui sera mon avocate, dit-il.

–Quoi ? s'exclame Jessie.

Elle saisit la barre, décroche les genoux et exécute une pirouette presque parfaite pour redescendre. Tout le monde sait que la mère de Scott est une avocate de premier ordre qui travaille au centre-ville. Jessie a entendu parler un bon millier de fois de son cabinet très chic. Scott dit que l'on voit toute la ville de la fenêtre de son bureau. Parfois, son nom figure même dans le journal.

–Ma mère, répète-t-il. Ce sera elle, mon avocate. Elle va te réduire en bouillie et ne fera qu'une bouchée de toi !

–Elle va prendre congé ? demande Jessie, peu convaincue.

–Non, répond Scott en ricanant méchamment. Mais elle m'a promis de quitter son bureau plus tôt. Je lui ai dit que c'était important, et elle m'a assuré qu'elle serait là.

–Mais c'est... c'est impossible, ça, bégaie Jessie. C'est un procès réservé aux enfants. Aucun adulte n'y est accepté.

–Es-tu en train de me dire que je ne peux pas avoir d'avocat ?

–Je n'ai pas dit ça, reprend-elle.

Jessie est coincée, et elle le sait bien. Tout le monde a le droit d'être représenté par un avocat. C'est écrit à la page deux de la brochure *Procès devant jury*. C'est la loi.

—D'accord, laisse-t-elle tomber, les lèvres pincées. Mais elle a intérêt à être à l'heure.

Jessie se remémore ces paroles ce même après-midi, alors qu'elle court partout pour préparer la salle d'audience afin que le procès commence à l'heure prévue.

Heureusement, Mme Overton leur a permis d'utiliser le matériel sans poser de questions. Toutefois, elle leur a clairement fait savoir que ce sera à Evan de tout ranger une fois qu'ils auront fini de jouer. Même si c'est vendredi après-midi et que l'école est terminée pour la semaine, techniquement, il demeure responsable du matériel jusqu'à lundi matin.

À trois heures moins le quart, Jessie a déjà sorti tout l'équipement dont ils vont avoir besoin. Elle place la caisse de lait sous les grands ormes : celle-ci tiendra lieu d'estrade. Dessus, elle pose à l'intention de David Kirkorian la pile de fiches sur lesquelles est écrit ce qu'il doit dire *exactement,* et elle l'appelle. Quand il la rejoint, il tient dans une main un véritable marteau en bois et dans l'autre, un sac de papier brun.

—Regarde ce que j'ai emprunté à mon père, dit-il en lui montrant le marteau. C'était un cadeau qu'on lui a fait pour rire, et il a dit qu'on pouvait l'utiliser.

—Qu'est-ce que tu portes là-dedans? demande-t-elle en montrant le sac du doigt.

David plonge la main dans le sac et en sort un vêtement noir roulé en boule. Il le passe par-dessus sa tête. Le vêtement, trop grand, forme une flaque noire à ses pieds.

– C'est la toge que mon frère a portée pour la remise de son diplôme, explique-t-il. Je sais qu'elle a l'air un peu grande sur moi, mais attends de voir.

Il se place derrière la caisse, et celle-ci cache tout de la longueur excessive du vêtement. Jessie doit reconnaître que cette toge lui donne des allures de juge. Et quand il frappe avec son marteau sur la planche de bois qu'il a apportée, Jessie se dit qu'elle pourra peut-être vraiment compter sur David Kirkorian pour prendre son rôle au sérieux.

En face de la caisse, elle place les deux ballons de basket : l'un sera le siège d'Evan, l'autre celui de Scott. La « chaise » de Jessie sera l'un des ballons dont ils se servent pour jouer au ballon prisonnier ; elle le place à côté de celui d'Evan. Doit-elle ajouter encore un ballon pour permettre à la mère de Scott de s'asseoir dessus ? Elle a du mal à imaginer un adulte à cheval sur un ballon comme font les enfants. Après réflexion, elle décide de laisser le dernier ballon dans la caisse. Ensuite, elle se rend à l'une des extrémités de la pelouse et y tend des cordes à sauter pour créer une zone en forme de boîte où les jurés seront assis. À l'autre extrémité, elle met par terre une seule corde à sauter pliée en deux, derrière laquelle se tiendront les témoins lorsqu'ils viendront témoigner. Comme il n'y a que six personnes dans le public, Jessie estime que celles-ci pourront s'asseoir derrière les trois Frisbees qu'elle a disposés avec soin sur l'herbe.

– C'est super ! s'exclame Megan qui l'a rejointe.

Jessie regarde autour d'elle et, pour la première fois, elle *voit* vraiment la salle d'audience qu'elle a créée. Ce n'est plus seulement une image dans un coin de son esprit, un plan dessiné sur une feuille : c'est un authentique tribunal réalisé avec la meilleure des bonnes fois.

Elle acquiesce, un seul petit papillon dans le ventre.

– Jusqu'ici, tout va bien.

CHAPITRE 10

Procès devant jury

Procès devant jury [pʀɔsɛ dəvɑ̃ ʒyʀi] loc. n. Procédure judiciaire légale aboutissant à un verdict de culpabilité ou d'innocence rendu par un jury (un groupe formé de concitoyens) et non par un juge.

Evan regarde autour de lui et a l'impression qu'il vient de pénétrer dans la quatrième dimension.

Tout d'abord, il se trouve assis sur un ballon de basket, ce qui lui semble vraiment bizarre.

Et puis sa sœur, à ses côtés, se comporte comme si l'univers tout entier lui appartenait. Jessie aime bien faire son petit chef à la maison par moments, mais c'est la première fois qu'il la voit agir ainsi à l'école, où elle a jusqu'à présent essayé de se faire aussi discrète qu'une souris : immobile derrière la ligne de touche, en retrait lorsque les autres jouent, dans son coin à la cafétéria et assise, silencieuse, les mains sur les cuisses, lors des réunions générales de l'école.

La voilà tout à coup qui prend la direction des opérations. Et c'est encore plus que bizarre.

Evan regarde les douze enfants qui forment le jury. Ça aussi, c'est étrange. En observant chacun d'eux un par un, il ne voit que des visages qu'il a connus durant presque toute sa vie. Rien de bien nouveau. Mais s'il les regarde tous ensemble, réunis sur le « banc » des jurés que Jessie a réalisé avec des cordes à sauter, il ne les reconnaît plus vraiment. Même Adam, son meilleur ami de toujours, a l'air différent, presque étranger. Ce sont les membres du jury, ceux qui décideront si, à la fin de la journée, il repartira avec une 20/20 entre les mains ou si, lundi matin, il devra se lever devant toute la classe pour présenter ses excuses. Tout à coup, il n'a plus du tout l'impression de regarder des camarades avec qui il joue depuis son plus jeune âge. Ils sont devenus quelque chose de bien plus imposant.

Evan balaie la salle d'audience du regard : les témoins se tiennent tous derrière la corde à sauter, prêts à témoigner. Le public attend patiemment que le procès commence, et David Kirkorian se trouve à sa place derrière la caisse qui lui sert d'estrade.

Et le plus étonnant, c'est que tous les élèves de quatrième sont venus après l'école et qu'ils ont accroché un insigne à leur t-shirt (d'accord, Malik a accroché le sien sur son derrière, sur la poche arrière de son short, mais il est tout de même à la barre, prêt à témoigner). Tout le monde attend les consignes de Jessie. C'est comme si, tout à coup, il y avait un nouveau règlement à suivre dans l'école et que tout le monde – tout le monde ! – avait accepté de le respecter.

Même Scott Spencer a pris place sur son ballon de basket. Les genoux largement écartés, il joue du tam-tam sur le ballon, tapant un rythme régulier. *Boum-boum-badaboum, boum-boum-badaboum, boum-boum-badaboum*. Il affiche ce fameux regard. Ce typique regard à la Scott Spencer. Ces yeux qui semblent dire : « Tout baigne. Tout est sous contrôle. C'est dans la poche. »

Ce qui est particulier à propos de Scott Spencer, c'est qu'il parvient toujours, de quelque manière que ce soit, à tourner la situation à son avantage. Evan repense à la fois où Scott et lui, alors en première année, avaient joué chez Scott, dans la salle de jeux au sous-sol. Sa mère était à son cabinet et son père travaillait à domicile, comme le fait la mère d'Evan. Sauf que son bureau à lui3 se trouve à l'autre bout de la maison, dans une pièce aux murs insonorisés ! Evan se rappelle qu'ils aimaient jouer à un jeu : celui de savoir qui ferait suffisamment de tapage pour faire sortir M. Spencer de son bureau le premier. Pour y parvenir, il leur fallait presque lâcher une bombe !

Ce jour-là, ils jouaient au Mikado et pariaient un cent par partie. Au début, Scott gagnait haut la main et Evan avait rapidement perdu sept cents. Et puis, il avait commencé à se rattraper et, rapidement, Scott lui avait dû onze cents, ce qui lui semblait être beaucoup d'argent à l'époque.

– Hé, allons prendre une collation, lui avait dit Scott.

Ils auraient pu aller directement dans la cuisine, mais Scott s'était rendu dans le bureau de son père pour lui demander de leur apporter quelque chose dans la salle de jeux. Et, bien sûr, quand le père de Scott avait vu qu'ils pariaient de l'argent, il avait mis fin au jeu et obligé Evan à rendre tout l'argent qu'il avait gagné.

– Les jeux d'argent sont interdits dans cette maison, avait-il dit.

Mais Evan avait pensé : *Perdre, voilà ce qui est interdit ici.*

Evan regarde Scott. Evan n'aime pas la bagarre. Il ne s'est battu que deux fois dans toute sa vie, dont une fois avec Adam, son meilleur ami ! Ces deux combats se sont terminés aussi vite qu'ils avaient commencé. Sans rancune et avec des excuses. Chacun promettant de ne plus en venir aux mains.

Pourquoi est-ce impossible avec Scott Spencer ? Pourquoi Evan voit-il rouge en sa présence ? Les choses vont toujours de mal en pis avec lui – transformant une querelle concernant de l'argent disparu en un véritable procès en bonne et due forme. Evan ouvre la bouche pour dire quelque chose à Scott…

... exactement au moment précis où David Kirkorian prend son marteau, le frappe contre sa planche de bois, et lit à voix haute la toute première fiche que lui a confiée Jessie.

– Silence ! Veuillez vous lever. La Cour, présidée par l'honorable juge David P. Kirkorian, est ouverte.

CHAPITRE 11

Parjure

Parjure [paʁʒyʁ] n. m. et adj. Mensonge dit sciemment au tribunal alors qu'on a fait le serment de dire la vérité, toute la vérité, rien que la vérité.

– L'avocat du demandeur peut-il s'avancer, s'il vous plaît ? dit le juge Kirkorian.

L'avocate de la défense, la mère de Scott, n'est pas encore arrivée, mais il leur est impossible d'attendre plus longtemps : à peu près la moitié des jurés doivent être à la maison pour seize heures pile.

Jessie se lève et s'adresse au tribunal. Elle s'efforce de donner à sa voix un ton assuré.

– Mesdames et messieurs les jurés, j'appelle mon premier témoin à la barre, Jack Bagdasarian.

Jack s'avance vers l'estrade et David lui demande de poser sa main droite sur le cœur et de lever la main gauche.

—Jurez-vous de dire la vérité, toute la vérité, rien que la vérité ? dit David.

—Je le jure, répond Jack, raide comme un piquet.

—Vous pouvez interroger le témoin, dit David en se tournant vers Jessie.

Jessie s'avance vers Jack.

—M. Bagdasarian, où vous trouviez-vous, le dimanche cinq septembre ?

—Qu'est-ce que tu veux dire ? demande Jack. C'est le jour où Scott a volé l'argent d'Evan ?

—Hé ! Je n'ai pas volé cet argent ! crie Scott.

—C'est toi qui le dis ! lance Malik.

Et tout le monde se met à crier. C'est la pagaille !

—Demande le silence, souffle Jessie à David qui reste là, les bras ballants, à observer tout ce chahut comme s'il regardait la télé.

David fouille parmi ses fiches jusqu'à ce qu'il trouve la bonne. Alors, frappant la planche de bois avec son marteau, il ordonne :

—Silence dans la salle ! Silence dans la salle ! Encore un mot, et je vous inculpe d'out... – il regarde sa fiche de plus près – d'outrage au tribunal !

Puis il agite sa carte avant d'ajouter :

—Ça veut dire que vous serez tous chassés chez vous et que, quand vous reviendrez à l'école lundi matin, on ne vous racontera rien de ce qui s'est passé ici.

Tout le monde se tait sur-le-champ.

Jessie se tourne de nouveau vers son témoin.

–Le cinq septembre dernier est le jour où tout le monde est allé se baigner chez vous, reprend-elle. Pouvez-vous dire au tribunal ce que vous vous rappelez de cette journée ?

Alors Jack raconte. Ce jour-là, ils jouaient tous au basket dans la cour de récréation – Evan, Jack, Paul, Ryan, Kevin et Malik –, mais il faisait très chaud et ils voulaient tous se baigner chez lui. Alors il est allé demander à sa mère si elle était d'accord. Quand il est revenu, Scott était arrivé et ils sont tous partis se baigner.

–Et que s'est-il passé ensuite ? demande Jessie, en faisant des allers-retours devant l'estrade.

Elle tient un stylo à la main et son cahier de rédaction coincé sous le bras. Ça lui donne une allure plus solennelle, plus professionnelle.

–Nous avons joué au basket dans la piscine, répond Jack. J'ai un panier flottant, alors on a juste fait les andouilles autour, et des trucs du genre.

–Evan nageait-il dans son propre maillot de bain ou lui en avez-vous prêté un ? continue Jessie.

–Je crois qu'il m'en a emprunté un, répond Jack. J'en suis quasiment sûr. Tout comme Scott.

–Donc, Evan et Scott se sont tous deux changés chez vous, c'est bien cela ?

–Ouaip, répond Jack, en hochant la tête avec conviction.

– Et où ont-ils déposé leurs vêtements quand ils sont sortis pour se baigner ? demande Jessie, en pointant Jack du doigt, pour faire comprendre au jury qu'elle arrive au point culminant de son interrogatoire.

– Dans ma chambre, je suppose. C'est là que tout le monde laisse ses chaussures, chaussettes et autres affaires parce que, si on les laisse en bas, mon chien les mange.

– Donc, laissez-moi éclaircir les choses, reprend Jessie en se tenant en face de Jack. Le short d'Evan – et quoi qu'aient contenu ses poches – était dans *votre* chambre. Et le short de Scott – et peu importe ce que contenaient ses poches – était dans *votre* chambre aussi. C'est bien cela ?

– Ouais. C'est ce que j'ai dit.

Jessie se tourne vers le jury.

– Je veux juste que tout le monde comprenne bien les faits. Les shorts d'Evan et de Scott étaient dans la même pièce.

Elle se tourne de nouveau vers Jack.

– Encore une question, M. Bagdasarian. Quelqu'un est-il sorti de la piscine et s'est-il rendu à l'intérieur de la maison ?

– Mais évidemment ! répond Jack en riant. On a dû boire des litres et des litres de limonade et manger une tonne de melon d'eau ! Impossible de garder le tuyau d'arrosage fermé tout l'après-midi, si tu vois ce que je veux dire.

La salle éclate de rire, mais le bruit tonitruant du marteau de David sur la planche de bois rappelle tout le monde à l'ordre.

D'autant plus que personne ne veut repartir sans connaître l'issue de l'affaire.

—Est-ce que *Scott* est entré dans la maison ? demande-t-elle.

—Hm hm, acquiesce Jack.

—Est-ce que Scott est entré dans la maison, *seul* ?

—Ouaip.

—Et combien de temps est-il resté dans la maison, *seul* ?

—Je ne sais pas, répond Jack en haussant les épaules.

—Assez longtemps pour se rendre à l'étage et voler une enveloppe dans la poche du short d'Evan ? continue Jessie.

—Bien sûr, répond Jack. Il est quand même resté un bon moment à l'intérieur. Tout ce que je peux dire, c'est qu'il est allé dans ma chambre, parce qu'il est redescendu tout habillé.

—Habillé ? Pourquoi s'est-il habillé ?

—Il a dit qu'il devait partir tout de suite.

—Mais a-t-il dit pourquoi ?

—Non. Il a juste dit qu'il devait partir.

—Est-il parti en vitesse ?

—Tu aurais dû le voir ! Il a foncé comme une fusée ! Je ne suis même pas sûr qu'il ait pris le temps de mettre ses deux chaussures avant de sortir.

—Je suppose que vous n'avez pas fouillé ses poches quand il est parti ?

—Euh, non.

—Dommage, grommelle Evan.

Jessie regarde son frère. Il n'a pas l'air content.

–Ce sera tout, conclut Jessie.

–Le témoin peut se retirer, dit David de sa voix sérieuse de juge.

Voyant que Jack ne bouge pas, il ajoute :

–Tu peux te retirer.

–Retirer ? Retirer quoi ? demande Jack, perplexe.

–Tu peux retourner dans la zone des témoins, dit David en lui adressant un regard tel que Jack ne répond rien et se contente de reprendre sa place.

Jessie appelle tous les témoins à la barre, un par un, et chacun d'entre eux répète la même chose : Scott s'est rendu dans la maison pour aller aux toilettes, en est sorti un moment plus tard tout habillé et s'est sauvé en quatrième vitesse. Écouter ce même témoignage cinq fois de suite donne vraiment l'impression qu'il correspond à la stricte vérité.

Jessie se sent bien. Tellement bien qu'elle décide d'appeler Evan à la barre. Elle n'a pas prévu de question pour lui, mais ça n'a pas d'importance. Tout le monde adore Evan et elle sait que c'est une très bonne stratégie que d'appeler un témoin sympathique à la barre.

Mais quand elle dit : « Comme prochain témoin, j'appelle Evan Treski à la barre », il lui adresse un regard furieux. Il se rend à la barre comme un animal va à l'abattoir. Quand il se tourne vers le tribunal, il a les mains glissées dans les poches arrière de son short et les épaules ramenées vers l'avant. *Mais qu'est-ce qui ne va pas ?* se demande Jessie. Ils sont pourtant sur le point de gagner !

– M. Treski, commence-t-elle, pouvez-vous nous dire, s'il vous plaît, où vous vous trouviez l'après-midi du cinq septembre dernier ?

– On le sait déjà, crie Taffy Morgan, assise dans la seconde rangée du jury. Demande-lui quelque chose d'autre !

– Ouais ! renchérit Tessa James, qui se trouve dans le public. Demande-lui plutôt d'où il sortait tout cet argent. C'est ce que je voudrais bien savoir.

Ben Lasser crie la même chose.

– Pose-lui cette question !

Et Nina Lee insiste elle aussi.

– Ouais, pose-lui cette question !

Lentement, mais sûrement, Jessie sent ses joues s'empourprer. C'est bien la dernière question qu'elle souhaite poser à Evan pendant qu'il se trouve à la barre. Si le jury découvre qu'il lui avait volé cet argent – ça en sera fini d'eux ! Quelques-uns des jurés se mettent à crier en chœur : Demande-lui ! Demande-lui !

– Silence ! hurle David.

Lorsque le calme est revenu, il se tourne vers Jessie.

– C'est une excellente question. Pourquoi est-ce que tu ne la lui poses pas ?

– Evan est *mon* témoin, répond Jessie. Et c'est *moi* qui pose les questions !

Jessie connaît les règles : elle est l'avocate, et personne ne peut la pousser à poser une question qu'elle ne veut pas poser.

– Je lui poserai les questions que je veux, et ce n'est pas une question que je souhaite lui poser.

– Quoi ? interrompt Scott. Tu as quelque chose à cacher ?

– Laisse-la tranquille ! dit Evan.

– Oui, laissez-moi tranquille ! répète Jessie, en regardant tout à tour David, Scott, puis Evan.

– Comme tu veux, répond Scott en croisant les bras sur sa poitrine, prenant un air satisfait, comme le chat qui vient d'attraper la souris. Ne lui pose pas cette question. Je dirai à ma mère de lui demander où il a eu tout cet argent.

– Ta mère n'est même pas là, répond Jessie, fâchée. Et je parie qu'elle ne viendra pas.

Scott bondit sur ses pieds et s'adresse à Jessie, menaçant.

– Elle va venir ! Elle est juste en retard. Parce que c'est une vraie avocate, *elle*. Avec un vrai travail à faire. Pas comme toi ! Amatrice !

– Silence ! Ou je vous fais sortir tous les deux ! s'écrie David.

Il a sauté de derrière son estrade et tient son marteau au-dessus de sa tête comme s'il menaçait de frapper quelqu'un. Puis il se tourne vers Jessie.

—Tu ferais aussi bien de poser cette question à Evan. Il va finir par devoir y répondre, de toute façon.

Et Jessie sait qu'il a raison.

Elle a déjà tout fichu en l'air. Elle s'est sentie tellement bien. Si confiante. Si sûre d'elle.

—M. Treski, dit-elle enfin, où avez-vous eu l'argent – les deux cent huit dollars – que vous aviez dans votre poche ce jour-là ?

On pourrait entendre une mouche voler. Mais il n'y a pas la moindre mouche et la salle d'audience est plongée dans le silence le plus total. Même les oiseaux semblent se taire pour entendre la réponse d'Evan.

Evan marmonne quelque chose et Jessie doit lui demander d'énoncer sa réponse plus clairement.

—Je l'ai pris dans ta caisse, dit Evan en la regardant comme s'il n'avait qu'une envie, l'écraser comme un vulgaire insecte.

L'assemblée demeure silencieuse. Tout le monde fixe Evan, et Evan fixe Jessie.

—Tu l'as *volé* ? s'écrie alors Paul, les yeux ronds comme des soucoupes.

—Dis donc, tu ne nous as jamais raconté cette partie de l'histoire ! ajoute Adam en secouant la tête.

—Ouah ! Tu as volé de l'argent à ta petite sœur, poursuit Scott, souriant de toutes ses dents pour la toute première fois de l'après-midi. C'est vraiment *dégueu* !

Jessie baisse les yeux et s'attarde dans la contemplation de la pelouse. Elle sait qu'Evan la regarde en pensant : *J'aurais tellement voulu que tu ne sois jamais née !*

– Excusez-moi, dit une voix dans le public.

Jessie se tourne. C'est Megan qui a parlé, et elle lève la main comme si elle était en classe et qu'elle souhaitait prendre la parole.

– Le tribunal donne la parole à Megan Moriarty, dit David.

– Le tribunal ne peut pas donner la parole à quelqu'un du public, dit Jessie. Le public n'a pas droit à la parole durant un procès. Sinon, c'est n'importe quoi !

– Eh bien, c'est moi le juge, reprend David. Donc, c'est moi qui décide. Megan, tu peux parler.

– Est-ce que mon argent faisait partie de la somme que tu as prise ? demande-t-elle en regardant Evan. Est-ce que la moitié de ces deux cent huit dollars provenait de mes ventes au stand de limonade ?

La bouche de Jessie est grande ouverte, mais aucun son n'en sort. Evan laisse tomber sa tête dans ses mains.

Des choses que Jessie pensait garder secrètes pour toujours sont dévoilées durant ce procès. Comme le fait qu'Evan ait volé son argent avant même que Scott ne le lui vole, ou que la moitié de l'argent qu'il a perdu appartenait, en vrai, à Megan. Le fait qu'Evan ait prévu dès le départ de lui rendre le lendemain l'argent qu'il avait pris – qu'elle lui avait déjà pardonné d'avoir pris en premier lieu – et que tous les deux aient travaillé très dur pour récupérer l'argent de Megan en sorte que cette dernière n'en avait rien su –, tous ces éléments ne pèsent pas bien lourd dans la balance, à présent. Aux yeux de tous, Evan est un voleur. Un voleur et un menteur.

Tout à coup, un torrent de paroles se met à sortir de la bouche de Jessie sans qu'elle puisse le contrôler.

– Il n'a pas volé mon argent. Je lui ai dit de le prendre pour le mettre en lieu sûr. Il ne l'a pas volé, bafouille-t-elle avant de se tourner vers Megan. C'est ma faute à moi si ton argent a été volé.

Evan la regarde. Megan la regarde. Scott la regarde. Tout le monde dans la salle d'audience la regarde. Et tout ce à quoi elle peut penser en cet instant, c'est qu'elle a menti sous serment devant un tribunal. Et que tout le monde le sait.

CHAPITRE 12

Charte des droits et libertés de la personne, chapitre III

Le troisième chapitre de la **Charte des droits et libertés de la personne** énonce les droits d'un citoyen accusé d'un crime ou d'un délit et déféré devant la justice. Il comprend le droit d'être représenté par un avocat.

–J'en ai terminé avec le témoin, murmure Jessie.

Evan et elle retournent à leur place. Evan garde les yeux ancrés au sol. Il n'ose pas regarder sa sœur. Il sait très bien que s'il le fait, toute la colère qu'il essaie de contenir en lui explosera comme un volcan en éruption et que toute la lave de haine qui l'habite va se déverser sur elle. Elle l'a humilié devant tous les élèves de quatrième année ! Et même s'il sait qu'elle ne l'a pas fait exprès, tout ça est quand même entièrement sa faute ! C'est elle qui l'a appelé à la barre ! C'est elle qui a choisi David pour juge ! C'est elle qui a remis cette foutue citation à comparaître à Scott ! Sans elle, rien de tout ça ne serait arrivé.

David frappe trois fois de son marteau.

– L'avocate de la défense peut-elle s'avancer, s'il vous plaît ?

Evan voit Scott se retourner et regarder derrière lui, vers le stationnement.

– On va devoir attendre quelques minutes, répond-il, comme si de rien n'était. Ma mère n'est pas encore arrivée.

– Si elle ne vient pas, est-ce que Scott va devoir déclarer forfait ? demande Paul.

David jette un œil parmi ses fiches.

– Jessie, si la mère de Scott ne vient pas, est-ce qu'il va devoir déclarer forfait ?

– La voilà ! s'écrie Scott en bondissant de son ballon.

Puis il se tourne vers Jessie.

– Je te l'avais bien dit ! Je te l'avais bien dit ! Tu vas voir ce que c'est qu'un véritable avocat ! Elle va te faire mordre la poussière !

Scott se précipite vers le stationnement où un imposant VUS gris est en train de se garer contre le trottoir.

Evan regarde Scott arriver à la hauteur du véhicule et se pencher par-dessus la vitre baissée pour parler à sa mère. Il se tourne vers eux et montre du doigt tous les enfants assis dans la salle d'audience. Evan voit à peine Mme Spencer assise au volant de sa voiture dont le moteur est toujours en marche. Puis Scott s'éloigne de la voiture et celle-ci redémarre.

Il revient vers eux en marchant et reprend place sur son ballon. Il hausse les épaules, nonchalant, mais Evan sait que ce n'est que de la comédie.

– Elle ne peut pas rester, dit-il. Elle doit assister à une réunion très importante. Une réunion professionnelle, pas un truc de gamins.

Il hausse de nouveau les épaules et regarde droit devant lui, vers David, évitant soigneusement le regard de tous les autres enfants.

– Bon ? demande David. On fait quoi, maintenant ?

Tout le monde se tourne vers Jessie, demeurée silencieuse depuis qu'elle s'est rassise.

Evan regarde Jessie. Elle ne sourit pas, et ça le surprend. Après tout, ça veut dire qu'ils ont gagné, non ? En tout cas, c'est comme ça que ça fonctionne au basket. Si une équipe ne se présente pas pour un match ou que le nombre de joueurs n'est pas suffisant, alors elle doit déclarer forfait et l'autre équipe gagne par défaut, automatiquement. D'habitude, Evan déteste les victoires par défaut, même si ça signifie quand même qu'on a gagné. Il préfère jouer et perdre plutôt que de gagner par défaut. Mais cette fois-ci, il est prêt à tout pour remporter la victoire. L'image qui l'a hanté toute la semaine – se lever durant la réunion du matin et présenter ses excuses à Scott devant toute la classe – commence à s'estomper, peu à peu, remplacée par une autre : Evan qui joue à la Xbox 20/20 avec tous ses amis, chez *lui*.

– David, tu dis : « L'avocat de la défense peut-il s'avancer, s'il vous plaît ? », et Scott dit… eh bien, il dit ce qu'il a envie de dire pour sa propre défense et ensuite, il dit : « J'en ai terminé », et voilà ! finit par répondre Jessie.

– Et après, c'est le verdict ! dit Salley Knight, qui se trouve sur le banc des jurés. Après, nous votons et donnons notre verdict.

– Oui, répond Jessie, d'un air morose.

Qu'est-ce qu'elle a ? se demande Evan. Ils sont sûrs de gagner si Scott n'a pas d'avocat pour le défendre.

– Hum, reprend David en se raclant la gorge. L'avocat de la défense peut-il s'avancer, s'il vous plaît ?

Tout le monde se tourne vers Scott, mais c'est une voix du fin fond de la salle d'audience qui rompt le silence.

– Ce sera moi.

Megan se lève et s'avance vers le tribunal.

Quoi ?

Evan croit d'abord avoir mal entendu.

Est-ce que Megan Moriarty vient bien de dire qu'elle va défendre Scott Spencer ?

– Tu ne peux pas faire ça, dit Evan, bondissant de son siège. Tu, tu...

Il a envie de hurler : *Tu es censée* être de mon côté, pas du sien ! mais il ne peut pas dire ça. Pas devant toute la classe.

– Hé ! crie David, frappant la planche de bois de son marteau. Le demandeur est prié de s'asseoir ! Si vous continuez à troubler le déroulement du procès, je vous expulse du tribunal !

—Ouais, c'est ça ! Essaie, pour voir ! grogne Evan en se rasseyant pourtant sur son ballon.

—Jessie, reprend David, en regardant sa montre. Il est quinze heures trente. Je vais devoir y aller dans dix minutes. On a le droit de faire ça ?

Jessie acquiesce.

—Oui, ça me paraît légal... et juste.

Evan ne peut pas en croire ses oreilles. Est-ce que la fille dont il est amoureux va vraiment réduire à néant sa seule chance de vengeance contre son ennemi juré ?

Megan se tourne vers Scott.

—Es-tu toujours contre le fait d'avoir une fille pour avocat ?

Encore une fois, Scott se contente de hausser les épaules.

—C'est toi ou rien, alors je n'ai pas vraiment le choix.

—Bien, reprend Megan. Ça ne sera pas long. Puis-je appeler mon premier témoin à la barre ?

David acquiesce, et Megan prend place devant le tribunal.

CHAPITRE 13

Preuve circonstancielle

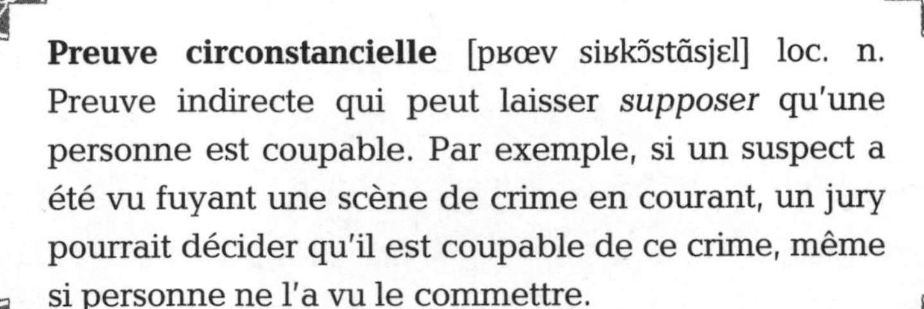

Preuve circonstancielle [pʁœv siʁkɔ̃stɑ̃sjɛl] loc. n. Preuve indirecte qui peut laisser *supposer* qu'une personne est coupable. Par exemple, si un suspect a été vu fuyant une scène de crime en courant, un jury pourrait décider qu'il est coupable de ce crime, même si personne ne l'a vu le commettre.

Megan commence son interrogatoire avec Jack. Elle lui pose trois questions simples et lui demande de répondre par un seul mot : *oui* ou *non*.

–Jack, as-tu, à un moment ou à un autre, vu l'argent qu'Evan disait avoir dans la poche de son short ?

–Non.

–As-tu vu Scott Spencer prendre quelque chose dans la poche d'Evan ?

–Non.

–Depuis ce jour, as-tu vu Scott Spencer avoir sur lui deux cent huit dollars ?

–Non.

Puis, un par un, elle appelle Kevin, Malik, Ryan et Paul pour témoigner à la barre et leur pose les trois mêmes questions. Leurs réponses sont unanimes : non.

En écoutant l'interrogatoire de Megan, Jessie se sent vraiment misérable, mais aussi très impressionnée. En moins de cinq minutes, Megan est parvenue à démolir toute son accusation contre Scott Spencer. La vérité, c'est que ce jour-là, à la piscine, personne n'a vu quoi que ce soit. Toutes les discussions n'ont été que des suppositions sur ce qui est arrivé à l'argent d'Evan.

Durant tout l'interrogatoire, Jessie craint par-dessus tout que Megan fasse venir Evan à la barre pour un contre-interrogatoire. Elle sait qu'Evan préférerait s'arracher les cheveux un à un plutôt que de retourner à la barre. Mais Megan appelle un autre témoin, un témoin auquel elle n'aurait pas pensé.

– Mon dernier témoin, dit Megan au jury, est Scott Spencer.

Scott est avachi sur son ballon, les coudes sur les genoux et les yeux ancrés au sol. À l'appel de son nom, il se redresse brusquement. Il semble aussi surpris que tout le monde d'être appelé à la barre.

– Je ne veux pas, répond-il.

Il regarde Megan et David avec bravade, comme s'il s'apprêtait à les défier tous les deux dans un combat.

– Eh bien, tu n'as pas le choix ! Tu dois faire ce que ton avocate te dit de faire, lui répond David en le pointant de son marteau.

Jessie est presque sûre que ce n'est pas vrai. Elle croit se rappeler avoir lu quelque part qu'un accusé n'est pas obligé de se nuire en témoignant contre lui-même, mais comme elle n'en est pas entièrement certaine, elle préfère se taire.

Scott se lève et, d'un coup de pied, il envoie rouler le ballon de basket à l'autre bout de la salle d'audience. Il marche vers l'estrade, pose sa main droite sur son cœur et lève la gauche.

–Jurez-vous de dire la vérité, toute la vérité, rien que la vérité ? demande le juge.

–Ouais, répond Scott dans un souffle long et rauque, comme si ce simple mot lui était arraché de force.

–Je n'ai qu'une seule question, dit Megan, et elle est très simple.

Elle met les mains sur ses hanches et fait face à Scott.

–As-tu vraiment acheté ta nouvelle Xbox 20/20 avec ton propre argent ?

–Quoi ? s'écrie Scott, incrédule.

Il se tourne vers David.

–Je refuse de répondre à cette question. Je ne suis pas obligé de répondre à cette question.

–Oui, tu l'es ! rétorque David. Sinon, je te condamne pour outrage au tribunal !

Il abat son marteau une seule fois de toutes ses forces pour faire comprendre à Scott à quel point il est sérieux.

Jessie observe Scott et sait exactement comment il se sent. *Tout le monde* le regarde.

– Eh bien, je...

La classe de quatrième demeure muette. Là-haut, même les branches des ormes cessent de se balancer, le doux bruissement des feuilles se muant en un profond silence.

– N'oublie pas, reprend Megan d'une voix tranquille, tu as prêté serment.

Scott fait la grimace.

– *Non*. Ce n'était pas avec mon argent. Satisfaite ? peste-t-il avant de sourire d'un air suffisant. Mes parents me l'ont achetée.

Les exclamations fusent de toutes parts dans le tribunal.

– Je le savais ! Je le savais ! dit Adam.

David doit frapper au moins dix fois sur sa planche de bois pour rétablir l'ordre.

– Le témoin peut se retirer ! Les plaidoiries ! L'accusation en premier ! Et que ça saute !

Jessie se lève. Ça aurait dû être son moment de gloire.

– J'avais écrit une plaidoirie géniale, dit-elle en sortant des fiches de sa poche, mais je suppose que nous allons manquer de temps. Alors je ne dirai qu'une seule chose.

Elle se dirige vers les jurés. Douze paires d'yeux se portent sur elle. Elle connaît bien certains membres du jury, comme Adam ou Salley, mais d'autres lui sont presque inconnus. Et maintenant, ils la fixent tous. Le jury au grand complet attend d'entendre ce qu'elle a à dire.

– Mesdames et messieurs les jurés, commence-t-elle, les faits ne mentent pas. L'argent d'Evan se trouvait bien dans son short, roulé en boule sur le lit de Jack, en sûreté. Scott s'est bien rendu dans la chambre de Jack dont il est sorti en trombe, s'enfuyant comme un sale voleur. Quand Evan est monté à son tour dans la chambre, son short était déplié et son argent avait disparu. Pas besoin d'être Sherlock Holmes pour résoudre ce mystère. Au final, tout dépend de qui dit la vérité. Alors, réfléchissez bien, pensez à toutes ces années depuis lesquelles vous connaissez Evan Treski et toutes ces années depuis lesquelles vous connaissez Scott Spencer, et posez-vous la question suivante : à qui faites-vous le plus confiance ?

Jessie remet ses fiches dans la poche de son pantalon. Elle ne les a même pas utilisées. Elle a passé des heures pour rien à rédiger sa plaidoirie finale. Ce procès ne s'est pas du tout déroulé comme elle l'avait imaginé.

– D'accord, reprend David. Maintenant, la plaidoirie finale de la défense. Megan, à toi. Vite !

Megan se lève et se dirige à son tour vers le banc des jurés.

– C'est simple, commence-t-elle. Vous ne pouvez pas condamner Scott, car il n'y a absolument aucune preuve contre lui. Nous ne pouvons qu'imaginer ce qui s'est vraiment passé. Nous ne sommes sûrs de rien, parce que nous n'avons *rien* vu, et personne au départ n'a *vu* cet argent, alors... Nous ne savons rien, et nous ne saurons probablement jamais ce qui s'est réellement passé cet après-midi-là.

Megan regarde David.

–Voilà.

–Terminé ! lance David, en martelant à nouveau sa planche. Jury, délibérez !

–Ma mère est là, s'écrie Salley Knight, en remarquant une voiture qui vient de se garer dans le stationnement.

–La mienne aussi, dit Carly Brownell.

–Jurés ! Rassemblez-vous pour voter ! crie Adam.

Les douze membres constituant le jury se réunissent en cercle, leurs têtes les unes contre les autres, dos à la salle d'audience.

Jessie se lève, s'assoit et se lève de nouveau. Elle a l'estomac à l'envers. Elle se met même à songer : *Si j'ai envie de vomir, je vais où ? Derrière l'estrade ? Contre un arbre ? Est-ce que j'aurai le temps d'atteindre les toilettes ?* Comme elle aurait aimé pouvoir parler à Evan, mais un seul regard lui suffit pour comprendre qu'il vaut mieux qu'elle garde ses distances. Il a les mâchoires très, très crispées et ça n'annonce rien de bon.

–Terminé ! crie Adam en frappant dans ses mains.

Le cercle s'ouvre et Jessie voit Adam écrire quelque chose à la hâte sur un petit bout de papier qu'il tend à David.

–Levez-vous tous pour entendre le verdict du jury, dit David.

Tout le monde se lève comme un seul homme.

Jessie a du mal à déglutir. Elle a beau essayer d'avaler sa salive, c'est comme si les muscles de son cou s'étaient soudainement paralysés. Une image s'impose à son esprit : elle, debout, devant toute la classe, présentant ses excuses à Scott Spencer.

– Ma mère s'en vient par là, dit Carly, en pointant du doigt le stationnement.

Jessie se tourne et voit une grande femme, des lunettes de soleil sur le nez et une casquette de baseball sur la tête, venir vers eux.

– Dépêche-toi ! crie Adam.

– Oui, répond David, sa voix passant dans les aigus. Je suis censé dire tout un tas de trucs officiels, mais je vais me contenter de lire le verdict à voix haute. Le verdict est – non coupable !

– *Génial* ! s'écrie Scott Spencer en sautant en l'air et en brandissant les poings au-dessus de sa tête. J'ai gagné ! J'ai trop hâte à lundi matin !

Mais personne d'autre ne bouge. Personne d'autre ne dit quoi que ce soit.

Quelque chose a mal tourné, ici, dans la cour de récréation. À l'ombre des ormes, loin des yeux réprobateurs des professeurs et des parents, les élèves de quatrième année de Hillside ont mis sur pied un tribunal et en ont suivi toutes les règles – pourtant, quelque chose a mal tourné, la mauvaise décision a été prise. Jessie le sait, et tous les autres le savent aussi, elle en est certaine.

– On a fini ? demande David, son marteau en l'air. Jessie ?

Jessie acquiesce.

– La séance est levée, tonne David, frappant d'un coup net sa planche de bois, pile au moment où la mère de Carly Brownell rejoint sa fille.

– À quoi jouez-vous ? demande-t-elle.

– À rien, répond Carly.

Elle ramasse son sac et s'éloigne vers le stationnement avec sa mère. David fourre sa robe noire et son marteau dans son sac en papier brun et se dirige vers l'entrée de l'école. La moitié des élèves le suit, mais l'autre moitié ne bouge pas.

Tout à coup, une voix retentit :

– Ce n'est pas fini !

Evan est debout et tient le ballon de basket dans ses mains.

– Toi et moi, dit-il en enfonçant méchamment son doigt dans la poitrine de Scott Spencer, si fort que Scott doit faire un pas en arrière. Viens avec moi. Au terrain de basket. Maintenant.

CHAPITRE 14

Provocations

Provocations [pʁɔvɔkasjɔ̃] n. f. pl. Paroles si venimeuses, si pleines de malice qu'elles peuvent pousser la personne à qui elles sont adressées à répliquer par la violence physique. Les provocations ne sont pas protégées en tant que liberté d'expression par la *Charte des droits et libertés de la personne.*

–Parfait ! dit Scott.

Personne ne prend la peine de ramasser quoi que ce soit. Les cordes à sauter, les frisbees, la caisse de rangement et les balles restent par terre. Tous les élèves de quatrième année qui n'ont pas encore repris le chemin de la maison s'empressent plutôt de s'aligner d'un côté et de l'autre du terrain de basket.

Evan fait rebondir le ballon à plusieurs reprises, essayant d'atteindre cette sensation de relâchement total qui lui permet de se donner à fond.

–Une partie de sept points. Chaque panier vaut un point. La loi de la rue. On sort le ballon de l'autre côté de la fissure à chaque essai.

Evan montre du doigt la grosse fissure qui fend le terrain en deux à plus de cinq mètres du panier. C'est la ligne qu'ils utilisent toujours pour la mise en jeu sur le demi-terrain.

–Qui est l'arbitre ? demande Scott.

–Pas d'arbitre, pas de faute, répond Evan. On joue, c'est tout. Si le ballon entre dans le panier, c'est un point. S'il n'entre pas, tu retournes chez toi pleurer dans les jupes de ta mère. D'accord ?

Tout en parlant, Evan dribble en croisé, faisant passer le ballon d'une main à l'autre. Il commence à trouver son rythme. Il regarde Scott qui se tient à l'extrémité de la bouteille. Il affiche évidemment son air suffisant qui semble dire : *Pourquoi se donner tant de mal ? Je gagne toujours !* Bien sûr, Evan aimerait gagner, mais il cherche surtout à effacer une fois pour toutes du visage de Scott cet air de supériorité qui lui déplaît tant.

–Ouais, d'accord, répond Scott. Mais qui va commencer ?

–Toi, dit Evan, en effectuant une passe si rapide que Scott n'a même pas le temps de lever les bras.

Le ballon le frappe en pleine poitrine et tombe lourdement à ses pieds. Evan entend quelques élèves rire et remarque Megan qui croise les bras en fronçant les sourcils.

–Bon début ! lance Paul en bordure du terrain, alors que Scott ramasse le ballon et se place derrière la fissure.

–*Cool*, Treski, dit-il. Vraiment *cool*.

Evan court jusqu'à la ligne de mise en jeu et se penche, prêt à assurer la défense. Scott dribble en restant derrière la ligne. Brusquement, il risque une feinte à gauche, puis fonce à droite et esquive son adversaire.

Scott est plutôt rapide, mais Evan l'est encore plus. Il arrive par-derrière et, alors que Scott effectue un tir, il fauche le ballon en plein vol, le frappant si fort qu'il heurte violemment le bitume. Au passage, la main d'Evan s'abat sur le visage de Scott, qui s'affale par terre. Comme le panier se trouve laissé sans défense, Evan marque son premier point sans aucune difficulté.

–Tu n'as pas le droit de faire ça ! crie Scott. Tu m'as *agressé* !

Assis sur l'asphalte les jambes étendues devant lui, il donne l'impression de ne plus pouvoir se relever.

Evan dribble jusqu'à la fissure pour ressortir la balle. Il porte une main à son oreille et feint de se concentrer pour écouter avec attention.

–Tu as entendu un coup de sifflet, Scott ? Je suppose que non, parce qu'il n'y en a pas. Alors *fais un homme de toi* !

Scott bondit aussitôt sur ses jambes et Ryan crie :

–Imposteur !

–Un-zéro, annonce Adam. Ballon à Evan.

Evan n'essaie même pas de prendre Scott à contre-pied. Il fonce droit sur lui, le catapultant jusqu'au panier, puis il place un nouveau tir simple et efficace.

–Ouah ! s'exclame Ryan.

Megan secoue la tête, mécontente.

– Pourquoi appeler ça du basket si vous persistez à jouer comme ça ?

Evan jette un coup d'œil vers Scott qui se relève péniblement. Déjà de retour à la ligne de remise en jeu avant que ce dernier se soit complètement redressé, Evan charge de nouveau dans sa direction. Il marque un autre panier, aussi agile qu'un singe.

– Trois-zéro, crie Adam.

– Scott ! dit Ryan. Allez, un peu de courage !

Cette fois-ci, quand Evan entame son ascension vers le panier, Scott se jette sur le ballon. Il l'arrache des mains d'Evan, mais il atterrit en touche.

– Hors-jeu ! lance Adam. Ballon à Evan.

Evan récupère le ballon, mais cette fois-ci, il enchaîne les feintes – gauche, droite, gauche –, si bien que lorsqu'il se décide à bouger, Scott part du mauvais côté.

– Vous jouez au basket, Scott, pas à la tague gelée ! dit Kevin.

Evan retourne lentement à la ligne de remise en jeu. Scott se place en face de lui, de l'autre côté de la fissure, les mains sur les hanches et le regard hargneux.

– Tout ça, ça ne compte pas, dit-il. C'est du salissage. Ce ne sont pas des paniers que tu comptes, ce sont des poubelles. Ça n'a aucune valeur.

– Ah non ? Pourquoi ? demande Evan, qui continue à dribbler. Tu étais d'accord. Pas de faute. Tu as accepté, non ?

Il franchit la ligne d'un seul pas, continuant à dribbler lentement, le ballon devant lui. Puis il écarte les bras, laissant le ballon rebondir librement entre eux deux.

–Vas-y ! Prends-le !

Quand Scott s'avance pour essayer de saisir le ballon au vol, Evan est prêt à le recevoir. Plus rapide qu'un aigle qui fond sur sa proie, il reprend le ballon, pivote pour contourner Scott et fonce vers le panier. Sautant aussi haut qu'il le peut, il parvient de justesse à pousser à deux mains le ballon dans le filet.

–Smash ! s'écrie Paul en exécutant une danse de la victoire derrière la ligne de touche.

–C'est répugnant, déclare Megan. Je rentre chez moi.

Elle saisit son sac à bandoulière et le glisse sur son épaule.

–Tu viens, Jessie ?

–Non, répond Jessie d'une toute petite voix. Je vais rester.

Elle est assise sur la pelouse, les genoux repliés contre la poitrine et le menton posé dessus. Megan acquiesce et se dirige vers le stationnement. Evan remarque son départ, mais se dit : *on s'en fiche*.

–Quatre-zéro, annonce Adam. Hé, Evan, essaie d'en finir rapidement, d'accord ? Parce qu'il faut que je rentre à la maison.

Evan fait rapidement grimper le score à six-zéro avec un tir en suspension au centre de la bouteille et un tir en cloche juste devant le panier.

Derrière la ligne de touche, tous les gars scandent: « Blanchissage ! Blanchissage ! » et Evan dribble en harmonie avec leur cri. Il jette un coup d'œil à Scott. Celui-ci paraît si essoufflé qu'il semble sur le point de vomir. Ses deux genoux et l'un de ses coudes sont en sang. *Il a raison*, pense Evan. *On ne joue pas au basketball, on joue au basket de la vengeance.*

– Tu veux le ballon ? demande Evan. Tiens.

Il laisse le ballon lui glisser des doigts et rebondir mollement jusqu'à Scott.

– Tu ne pourras pas dire que je ne t'ai pas ménagé, ajoute-t-il alors que Scott ramasse le ballon et qu'ils changent de position, Evan passant en défense. Vas-y ! Je vais même me reculer. Je vais te donner toute la place qu'il te faut. Et malgré ça, tu n'arriveras pas à marquer contre moi.

Scott dribble lentement, et Evan devine qu'il cherche la meilleure stratégie à adopter. Impossible qu'il passe en force, Evan est plus grand que lui ; impossible qu'il le prenne de vitesse, Evan est plus rapide que lui. Scott n'a d'autre possibilité que d'essayer de le déjouer par la ruse. C'est la seule solution dont il dispose, la seule dont il a toujours disposé.

Scott se dirige lentement vers le panier en continuant à dribbler. Evan lui emboîte le pas, lui bloquant l'accès direct au panier tout en lui laissant une grande marge de manœuvre. Il garde les yeux ancrés dans ceux de Scott.

Tout à coup, Scott s'immobilise, bouche bée. Il arrête de dribbler et crie à pleins poumons :

– Oh, mon Dieu ! Ça va, Jessie ?

Evan se retourne immédiatement. Où est-elle ? Est-elle suspendue à une barre de l'aire de jeu ? Est-elle tombée ? Elle peut être tellement empotée ! C'est tout juste si elle arrive à traverser une pièce sans se prendre les pieds dans quelque chose.

À peine Evan a-t-il posé les yeux sur Jessie – assise derrière la ligne de touche, le menton toujours posé sur les genoux, suivant le jeu avec attention – qu'il comprend. Mais Scott l'a déjà dépassé et se dirige vers le panier. Evan parvient presque à bloquer son tir, mais les « presque » ne comptent pas au basket. Le tir de Scott est faible, bâclé. Le ballon tourne sur le cerceau, mais finit par tomber à l'intérieur.

– Je n'arrive pas à croire que tu te sois laissé avoir par un truc pareil, mon gars ! s'exclame Kevin.

– Un truc vieux comme le monde, ajoute Paul, en secouant la tête tristement.

– Six-un, crie Adam. Ballon à Scott.

– La loi de la rue, hein ? rappelle Scott en passant à côté de lui et en haussant les épaules.

Le sentiment qui envahit Evan à cet instant précis n'a jamais connu d'égal. Même pas quand il s'est cassé la jambe, ni quand son père est parti, ni même le jour où Jessie a mis des insectes dans sa limonade. Cette fois, c'est bien pire. Bien plus puissant. En ce moment, rien d'autre n'a d'importance.

Alors, quand il voit Scott se diriger vers le panier, Evan lui tombe dessus, les deux bras placés en défense, et c'est sûrement le regard que Scott découvre sur son visage qui le fait s'arrêter net. Gelé en plein mouvement, il perd une fraction de seconde. Evan profite de cet instant pour lui enlever le ballon et atteindre l'extrémité de la bouteille.

Il lui suffit de dribbler et de lancer. Aussi simple que ça. La partie serait finie et il aurait gagné.

Mais non.

Il veut faire payer Scott. S'assurer que lorsqu'on racontera l'histoire – pendant des jours, des mois, des années, même – de cette partie de basket durant laquelle il a pulvérisé Scott, on parlera aussi du panier final qu'Evan Treski a marqué.

Il se dirige donc vers l'extrémité de la bouteille, ancre ses pieds au sol et se concentre pour réaliser ce tir en vrille auquel il s'exerce depuis des mois.

Il est là, dos au panier, faisant rebondir le ballon et criant presque à Scott : « Ouais, viens me chercher ! » Et quand Scott se précipite sur lui, Evan se retourne et son coude l'atteint sur le côté du visage.

Propulsé vers l'arrière, Scott tombe à la renverse et s'écrase durement sur son arrière-train, s'éraflant les mains sur l'asphalte. Evan ne s'attarde même pas à vérifier s'il va bien. Il dribble une fois, deux fois, trois fois, s'élance dans les airs en pivotant sur lui-même et lâche le ballon.

Tout le monde regarde le ballon voler dans les airs avant d'atterrir au cœur du panier sans même le toucher.

En plein dans le mille !

Le ballon retombe sur l'asphalte et rebondit. Personne ne fait le moindre geste pour le rattraper. Silence total. Scott est toujours par terre, les mains en sang. Evan se tient droit, les bras ballants. Il a la sensation d'avoir livré un véritable combat.

Scott se relève lentement. Il ramasse le ballon et l'expédie d'un gros coup de pied par-dessus la clôture, droit dans le marécage. Puis, il part en courant.

CHAPITRE 15

Balance

Balance [balɑ̃s] n. f. Instrument servant à peser, à mesurer la masse d'un corps par référence à un système étalon. Il est composé d'une barre métallique rigide appelée «fléau» à laquelle sont suspendus deux plateaux identiques. Sur les sculptures ou les peintures, la Justice est souvent représentée une balance à la main.

–Mamie, est-ce qu'on peut parler? demande Jessie en glissant un oreiller sous sa tête et en bloquant le combiné du téléphone entre son oreille et son épaule.

–Bien sûr, ma puce. Qu'est-ce qu'il y a?

La grand-mère de Jessie habite à plus de quatre heures de route de chez eux. Alors, comme elle ne peut la voir très souvent, elle l'appelle régulièrement.

–Tout va mal, dit Jessie, en tripotant un bout de papier peint qui se décolle du mur.

Elle raconte tout à sa grand-mère: le procès qui a eu lieu la veille, le match de basket et la façon dont Scott est parti après avoir jeté le ballon dans le marais. Evan a alors dit à ses amis:

« Allez-vous-en. Je vais retrouver le ballon tout seul. » Alors ils sont restés tous les deux à chercher ce fichu ballon pendant une interminable demi-heure, et Evan n'a pas desserré les dents un seul instant.

– Et aujourd'hui, il ne veut même pas manger ! s'exclame Jessie. Tu savais que c'était Yom Kippour ?

– Yom Kippour ? Est-ce que c'est la fête où tous les enfants se déguisent ? demande sa grand-mère.

– Non, ça c'est Pourim.

Mamie mélange toujours ce genre de choses, des choses qui ont l'air d'être pareilles mais qui sont différentes. Durant leur dernière conversation téléphonique, elle parlait à Jessie des séquoias de Californie, mais n'avait pas cessé d'utiliser le mot *séquestrés* à la place.

– Yom Kippour, c'est le jour où les personnes de confession juive demandent pardon et ne mangent pas.

– Est-ce qu'Evan est juif, maintenant ? demande sa grand-mère.

– Non, mais il ne mange pas. Il dit qu'il n'a pas faim.

– Parfois, ça m'arrive aussi. Ça m'arrive même de presque oublier de manger.

– Oui, mais Evan *a toujours* faim ! Maman dit que c'est un ventre sur deux pattes !

– Il va manger quand il en aura envie. Laisse couler.

Jessie déteste quand sa grand-mère lui dit *laisse couler* ou *deviens l'arbre*. C'est une mordue de yoga ! Franchement ! Comment peut-on devenir un arbre ?

– Mais... J'ai envie de faire quelque chose pour l'aider.

– Et si tu faisais des biscuits ? Ça pourrait lui ouvrir l'appétit, non ?

– Je ne pense pas. Pas cette fois-ci.

Tout ça dépasse de loin l'odeur alléchante des biscuits bien chauds. Comment pourrait-elle faire comprendre à sa grand-mère à quel point les choses vont mal ?

Jessie a mis toute sa confiance en son tribunal. Elle a cru que la vérité éclaterait au moment du procès, et que la vérité irait de pair avec la justice.

Mais plutôt que la vérité, ce sont des mensonges qui sont ressortis devant le tribunal, y compris les siens. La séance s'est terminée non pas par la victoire de la justice, mais par un vol resté impuni. En plus, dès lundi, elle et Evan vont devoir se lever devant toute la classe pour dire qu'ils ont eu tort – même si Jessie sait bien que ce n'est pas vrai.

– Mamie, c'est tellement injuste ! reprend Jessie. Je sais que Scott Spencer a pris cet argent. Je sais qu'il ment. Et maintenant, j'ai l'impression que j'ai fait tout ce travail pour lui permettre de paraître innocent !

– Tu ne peux pas tout contrôler, Jessie. Il faut l'accepter. Tu ne peux pas être le maître du monde.

Je voudrais bien pouvoir ! pense Jessie. Le monde serait un meilleur endroit si c'était elle qui le dirigeait. Mais... elle repense à l'horrible chose qu'elle a faite.

–Mamie, j'ai menti au tribunal, reconnaît-elle malgré elle.

Elle raconte à sa grand-mère comment c'est arrivé. Sa grand-mère l'écoute sans l'interrompre.

–C'est mal de mentir, finit-elle par répondre, mais au moins, ça partait d'un bon sentiment. Tu n'as pas à avoir honte d'aimer ton frère.

–Je regrette quand même d'avoir agi comme ça, murmure Jessie.

–Heureusement ! Je serais inquiète de savoir que mentir te laisse indifférente. Les mensonges, tu *peux* les contrôler, au moins ! Personne ne peut t'obliger à mentir. Il est normal que tu t'en veuilles pendant quelque temps, mais n'oublie jamais ce que tu as appris. Et grâce à cette leçon, tu pourras aller de l'avant et devenir une meilleure personne. Ne sois pas trop dure avec toi-même, Jessie, tu n'as que sept ans.

–Mamie ! J'ai huit ans ! s'exclame Jessie.

Comment sa grand-mère peut-elle oublier son âge ?

–Vraiment ? Tu es sûre ?

–Ça fait presque un an que j'ai huit ans. Je vais avoir neuf ans le mois prochain.

–Parfait ! J'ai justement un livre que je voulais t'envoyer, qui fera un excellent cadeau d'anniversaire.

—Mamie, dit Jessie, sur le ton de l'avertissement, tu ne vas pas m'envoyer *Le prince et le pauvre* encore une fois, n'est-ce pas ?

—Mais non, petite souris futée ! Je sais que je t'ai déjà envoyé ce livre – deux fois ! Et je sens que je n'ai pas fini d'en entendre parler !

—Pourquoi est-ce que tu oublies des choses ? Ce n'est pourtant pas ton genre.

—Oh, ma puce. Je me fais vieille, répond sa grand-mère en riant doucement tandis que Jessie rapproche instinctivement le combiné de son oreille. Et malheureusement, c'est quelque chose sur quoi ni toi ni moi n'avons d'emprise.

La sonnette retentit. Jessie sait que sa mère ne l'entendra pas dans son bureau au grenier, et elle se doute qu'Evan n'ira pas ouvrir, même s'il l'entend.

—Il faut que j'y aille, Mamie, quelqu'un sonne à la porte.

—D'accord, mon trésor ! Deviens l'arbre ! Et fais des biscuits ! Je t'aime.

Jessie se précipite dans l'escalier et ouvre la porte. C'est Megan.

—Salut, dit Megan.

Jessie la salue d'un petit signe de la main, mais ne l'invite pas à entrer.

—Je me suis dit que tu étais peut-être fâchée contre moi, poursuit-elle.

–Un peu, répond Jessie.

Après un bref silence, elle reprend :

–Pourquoi as-tu fait ça ?

Jessie n'a pas voulu penser à la colère qu'elle éprouve à l'égard de sa meilleure amie depuis le procès, mais maintenant, une foule de questions remontent à la surface. *Pourquoi as-tu réduit à néant mon travail acharné ? Pourquoi as-tu aidé Scott à s'en tirer ? Pourquoi nous as-tu trahis, Evan et moi ?*

–Je suis désolée, Jessie. Je ne voulais pas te faire de peine ni gâcher ton procès, mais justement, ce n'était pas vraiment *ton* procès. C'était notre procès, à nous tous.

Megan la regarde droit dans les yeux.

–Tu as vraiment fait quelque chose de super, reprend-elle. Grâce à toi, nous avons eu un véritable tribunal. Pas une pâle copie ou une parodie. C'était une vraie cour de justice. Et comme dans toutes les cours de justice, tout le monde a droit à un avocat. Alors, il fallait bien que quelqu'un défende Scott, sinon ce tribunal n'aurait été qu'une grosse parodie.

Jessie ne répond rien, mais elle comprend exactement où Megan veut en venir. Quelque part, au plus profond d'elle-même, elle l'a toujours su.

–Je voulais gagner, répond-elle finalement, cet aveu ravivant le goût amer de la défaite. Mais tu as raison, tu as fait ce qui était juste.

Elles restent là, toutes les deux, à regarder fixement leurs pieds. Pourquoi est-il toujours si dur de parler de sentiments ?

–Je ne suis plus fâchée contre toi, finit par dire Jessie, sachant que c'est presque la vérité et que d'ici demain, ce sera entièrement vrai.

–On se voit lundi, Jess ! lui répond Megan en lui souriant.

Elle descend les marches en sautillant.

–Hé, Megan, lance alors Jessie. Est-ce que tu crois que c'est Scott qui a pris l'argent d'Evan ?

–Je pense, oui, répond Megan.

Elle hausse les épaules, et son expression semble dire : « C'est la vie. »

Jessie regarde son amie descendre la rue en cette belle journée de fin d'été. Les arbres dansent au gré de la brise légère sous un ciel d'un bleu intense. La caresse du soleil sur sa peau lui fait un bien fou.

Jessie monte les marches à la hâte, se rend dans sa chambre et cherche le livre de yoga que sa grand-mère lui a offert à Noël dernier. Quand elle le trouve, elle le feuillette jusqu'à la page 48 et examine la photo.

–Deviens l'arbre, murmure-t-elle.

Lentement, elle lève le pied gauche et le place sur son genou droit. Durant une toute petite seconde, elle parvient à trouver et à maintenir son équilibre, telle une balance parfaitement juste.

CHAPITRE 16

Dédommagement

Dédommagement [dedɔmaʒmɑ̃] n. m. Avantage (matériel ou moral) accordé par la justice à quelqu'un en réparation d'un dommage ; indemnités, compensation, consolation.

De toute sa vie, Evan n'est jamais resté aussi longtemps sans manger. Et le pire c'est qu'il n'a pas faim du tout. Samedi après-midi, vers quatorze heures, sa faim a été portée disparue. Elle s'est évaporée, comme une ampoule s'éteint subitement quand on appuie sur un interrupteur. Il se sent vide, un peu en apesanteur, son esprit légèrement bourdonnant, mais il n'a pas faim.

Il n'a rien prémédité. Hier soir, il est rentré à la maison et a soupé, comme toujours. À la tombée de la nuit, il s'est mis à penser à Adam et Paul. Il s'est alors demandé s'ils avaient déjà commencé leur jeûne et s'ils parviendraient à tenir jusqu'au lendemain soir. Et puis il a voulu savoir s'il arriverait, lui, à rester vingt-quatre heures sans manger. Voir ce qu'il ressentirait, vérifier s'il aurait la force de le faire.

De fil en aiguille, il s'est mis à penser au Jour du Grand Pardon. Et moins il mange, plus il réfléchit. Il est à présent perché sur une branche de l'arbre à grimper, tout en haut, au cœur du feuillage qui murmure à son oreille, en compagnie des oiseaux qui picorent leur dernier repas de la journée. Le soleil décroît à l'horizon et projette de longues ombres dans la cour.

Evan réfléchit à ses péchés. Ce n'est pas un sujet facile à aborder. A-t-il vraiment commis des péchés ? Il n'en sait rien. Mais il y a une chose dont il est certain : en cet instant, il se sent vraiment nul. Et il sait que quand il ne se sent pas bien, c'est qu'il a, en général, fait quelque chose qu'il regrette.

Evan regrette d'avoir fait cette partie de basket. Il regrette d'avoir joué comme ça. Il regrette que Megan l'ait vu jouer comme ça. Et Jessie. Et tous les autres. Il regrette de s'être conduit comme un abruti. Il se repasse en boucle ce match dans sa tête, chaque panier, chaque tir parfait, et ça le rend malade. Il ne saura jamais où a disparu cet argent, et avoir pulvérisé Scott sur un terrain de basket n'y changera rien.

Evan descend de l'arbre et regagne la maison. Jessie est dans la cuisine, un gros récipient sous le nez et tout un tas d'ingrédients éparpillés sur le plan de travail : farine, sucre, beurre et œufs.

– Tu fais quoi ? lui demande-t-il en entrant.

–Tes préférés ! Des biscuits aux pépites de chocolat.

–Merci.

Il prend sa casquette dans le placard de l'entrée et se dirige vers la porte. Jessie le rejoint.

–Où est-ce que tu vas ? lui demande-t-elle.

–Chez Scott.

–Non ! Ne fais pas ça !

–Ne t'inquiète pas. Dis juste à maman où je suis, d'accord ? Ne mange pas tous les biscuits d'ici mon retour ! lui lance-t-il par-dessus son épaule en s'éloignant.

Il n'a aucune idée de ce qu'il va bien pouvoir dire à Scott. Il présentera sûrement ses excuses après une rapide poignée de main, mais au-delà de ça, il ne sait pas ce qui va se passer.

La maison de Scott ne se trouve pas très loin à vélo. Pourtant, son quartier n'a rien à voir avec celui d'Evan. Les habitations ici sont gigantesques : les pelouses sont peuplées d'élégants arbustes taillés proprement et disposés artistiquement en bouquets, les garages peuvent contenir au moins deux voitures et le gazon semble avoir été tondu au rasoir tant les brins sont identiques. Alors qu'il s'engage sur l'allée en pierres qui conduit à la porte d'entrée, Evan constate que les feuilles des deux gros érables se trouvant dans le jardin ont commencé à changer de couleur. Elles vont se mettre à tomber d'ici un mois, mais Evan sait que Scott ne les ratissera pas, puisque ses parents confient l'entretien extérieur à une entreprise.

Quand la porte d'entrée s'ouvre, Evan n'est pas surpris de voir Scott. Il ne se rappelle pas que les parents de Scott lui aient ouvert la porte une seule fois.

Aucun doute, il a meilleure mine qu'hier. Il est tout propre, ne porte plus de trace de sang, et est vêtu d'un long pantalon qui couvre ses genoux. Mais ses yeux demeurent les mêmes – remplis d'une haine pure et inaltérée, qui foudroie Evan.

–Salut, dit Evan.

–Quoi? aboie Scott en retour. Qu'est-ce que tu veux?

Evan n'a pas du tout répété ce qu'il va dire à Scott, et maintenant qu'il se trouve devant lui, ses yeux si pleins de haine le dévisageant, il lui est difficile d'imaginer quelque chose à dire sur-le-champ. Il reste là un bon moment, sans trouver ses mots. Pourquoi diable est-il venu ici?

Alors il dit la seule chose qui lui vient à l'esprit:

–Je suis venu voir ta Xbox 20/20.

C'était comme s'il avait prononcé une formule magique. L'air renfrogné de Scott quitte son visage et les muscles de ses bras se détendent.

Il attend à peine une seconde avant de répondre:

–D'accord.

Il recule pour laisser entrer Evan. Les choses ont toujours été ainsi avec lui, depuis qu'ils sont tout petits: Scott Spencer aime exhiber ses nouveaux jouets.

Evan suit Scott dans le sous-sol de la maison, mélange de salle de jeux et de salle familiale. Le lieu est à peu près comme dans son souvenir : deux canapés, un coin ordinateur, le meuble de rangement avec les bonbons et gâteaux enfermés à double tour, des tonnes de jouets, des briques de construction, des équipements sportifs, une balançoire suspendue au plafond, un clavier électronique et un tapis de course. Mais ce qui attire vraiment son regard, c'est la nouvelle télévision. Elle est énorme : le plus grand écran plat plasma qu'Evan ait vu de toute sa vie.

– Ouah ! s'exclame-t-il.

– Ouais, mon père l'a achetée il y a quelques semaines. *Cool*, hein ? dit Scott en souriant.

Evan voit une boîte blanche et lisse raccordée à la télévision.

– C'est la 20/20 ? demande-t-il. Elle est super petite !

– Ouais, petite, mais costaude ! Regarde tout ce qu'elle peut faire !

Scott lui tend deux gants épais aux allures de gants de hockey – mais tout blancs – et une paire de lunettes sombres et lourdes à attacher tout le tour de la tête. Evan retire sa casquette, enfile gants et lunettes, et Scott allume la console. En une seconde, Evan se trouve propulsé sur un circuit automobile au volant d'une voiture, encerclé d'autres véhicules qui le dépassent à plus de deux cents kilomètres à l'heure.

– Ouaaaaaah !

–Tourne à droite ! Avec tes gants ! Fais comme si tu avais un volant entre les mains et tourne à droite ! lui crie Scott à l'oreille.

Evan manque de justesse de s'encastrer dans une barrière faite de meules de foin qui servent de protection dans les virages. Il saisit promptement son volant imaginaire et retourne sur la piste.

–Serre ta main droite pour aller plus vite et ta main gauche pour ralentir, lui explique Scott en montant le volume pour que le grondement des voitures de course emplisse les oreilles d'Evan.

Le jeu est tellement réaliste qu'Evan peut presque sentir les gaz d'échappement. Durant les cinq minutes qui suivent, Evan exécute la course de sa vie. Jamais il n'a été aux commandes d'une console aussi géniale ! Pas étonnant que Scott ne puisse pas parler d'autre chose !

–Scott. Scott ! hurle une voix derrière eux.

Evan se tourne et retire prestement ses lunettes. M. Spencer se tient au haut de l'escalier. Scott s'empresse de baisser le son.

–Ça fait plus de cinq minutes que je m'égosille pour me faire entendre ! Tu veux bien éteindre le son de cet appareil ? As-tu seulement conscience du tapage que ça fait ?

–Désolé, papa, répond Scott. On jouait juste à Road Rage.

–Eh bien, tu vas finir par faire exploser les enceintes acoustiques de la télévision, et alors ce sera à toi d'en racheter des neuves. Je n'ai pas dépensé cinq mille dollars pour une nouvelle télévision pour te laisser la détruire avec tes jeux vidéo. C'est un équipement audiovisuel vraiment très coûteux, et tu dois apprendre à l'utiliser avec respect. Maintenant, plus de bruit ! J'essaie de travailler.

–Oui, mon commandant !

M. Spencer tourne les talons et s'éloigne.

Scott ramasse une balle de baseball et se met à la lancer d'une main à l'autre. Evan ne sait pas trop quoi faire. Il retire les lunettes et les gants, et les dépose par terre. Les bolides continuent leur course effrénée sur l'écran, mais, sans le son, ils ont l'air stupides et faux.

–Ton père travaille beaucoup, hein ? finit-il par demander.

–Même le samedi, répond Scott en lançant la balle.

–Ma mère travaille beaucoup aussi.

Mais dans sa tête, il ajoute : Mais au moins elle ne nous crie pas dessus quand on fait du bruit.

–Ouais, bref, reprend Scott. Tu veux jouer à Crisis ? Il est terrible !

Disant cela, il jette la balle dans un coin de la pièce. Mais son lancer est bien plus fort qu'il ne l'a prévu, et surtout, il a complètement raté le coin de la pièce. Et de loin. Mais pas celui de la télévision. Un fracassant « CRAC » retentit dans le sous-sol et l'écran s'éteint.

Ils restent tous deux pétrifiés. Evan ne peut prononcer le moindre mot. Il a l'impression qu'une énorme chaussette s'est coincée dans sa gorge. L'écran plat est marbré d'une fissure d'une trentaine de centimètres et de plusieurs rayures plus petites en forme de toile d'araignée. La maison reste silencieuse, si ce n'est du martèlement des pas de M. Spencer qui descend l'escalier. L'instant d'après, il est là, dans l'embrasure de la porte, les yeux rivés sur la télévision.

– Tu l'as fait exprès ? crie-t-il à Scott.

– Non, bégaie Scott. Je…

– Parce que tu vas payer ! Et cher ! Tu vas me rembourser jusqu'au moindre sou que j'ai dépensé. Ton argent de poche, l'argent de ton anniversaire, tout y passera – et tu peux oublier Noël, cette année ! Tu comprends ?

Une veine proéminente apparaît soudainement sur le front de M. Spencer, comme sortant tout droit d'un film d'extraterrestres. Chaque fois qu'il prononce un mot commençant par p – payer, poche, passera – des postillons blancs fusent de sa bouche. Evan est certain qu'il va finir par exploser.

– Papa, je n'ai pas…

– Cette télévision était toute neuve. Toute neuve, tu m'entends ?

Evan se rapproche légèrement de Scott.

– Nous sommes vraiment désolés. Nous n'avons pas fait exprès. C'était un accident.

M. Spencer regarde Evan pour la toute première fois depuis qu'il a descendu l'escalier à pas lourds. C'est comme s'il avait complètement oublié qu'il y avait quelqu'un d'autre dans la pièce jusqu'à présent. Lentement, il inspire et expire. Ses mâchoires sont crispées, aussi dures qu'un mur de béton.

– C'est toi qui as jeté la balle ? demande-t-il à Evan.

– Non, mais, nous jouions, et... la balle a, comment dire, atteint la télévision par erreur. Nous ne l'avons pas fait exprès.

Evan a peur, mais il ne peut s'empêcher de penser que M. Spencer est vraiment nul. Bien sûr, il arrive aussi à sa mère de se fâcher – plein de fois, pour être honnête – mais jamais elle ne dispute ses enfants s'il s'agit d'un accident.

– Nous sommes désolés, papa, souffle Scott d'une toute petite voix.

– Encore heureux ! Mais vos excuses ne répareront pas cette télévision, n'est-ce pas ?

Sur ces paroles, M. Spencer quitte la pièce.

Le silence s'installe.

– Bon, dit Evan, juste pour dire quelque chose.

Scott fixe le sol.

– Ouais, répond-il.

À son expression, on pourrait croire que son chien vient de mourir.

Evan ramasse sa casquette et se la visse sur la tête, à l'envers.

– C'était chouette, dit-il.

Scott ne lui sourit pas, pas plus qu'il ne lève les yeux vers lui. Evan comprend très bien. C'est déjà dur de se faire crier dessus par ses parents, mais c'est encore pire quand ils le font devant quelqu'un d'autre. On a tout de suite honte de notre famille. Scott a très certainement envie qu'il s'en aille.

–Bon, je vais y aller, dit-il.

–D'ac, répond Scott. Et merci. Tu sais, pour avoir pris ma défense.

–Bien sûr, pas de quoi.

–Non, mais tu sais, mon père adore cette télé. Je veux dire qu'il en est vraiment dingue. Alors merci.

–C'est ce que font les amis, répond Evan en se retournant pour partir.

Il est lui-même surpris. Qu'est-ce qui lui a pris de dire ça ? Il n'en a pas du tout eu l'intention. C'est un peu difficile d'imaginer que Scott Spencer puisse être son ami après tout ce qui s'est passé entre eux. Mais... où en sont-ils, à vrai dire, lui et Scott ? Pas des amis, assurément, mais pas des ennemis non plus. Quelque part entre les deux, dans un espace sans nom ni lois.

Mal à l'aise, Evan se gratte la nuque.

–Tu sais, je suis désolé, dit-il. Je suis désolé pour le match d'hier, pour le procès, pour tout, en fait. Écoute, si tu me dis que tu n'as pas pris mon argent, alors ça veut dire que tu n'as pas pris mon argent. Et je suis désolé d'en avoir fait toute une histoire et surtout d'avoir été si dégueulasse avec toi.

Scott acquiesce.

–D'accord. On oublie les excuses lundi matin, alors. Tu sais, pas besoin que toi et Jessie vous leviez devant toute la classe. Parce que... On oublie, quoi.

Super ! Evan se sent vraiment mieux maintenant. C'est comme s'il avait porté un sac à dos plein de pierres pendant des jours et des jours et que, tout à coup, il en était libéré ; il a l'impression de pouvoir voler. Et, bon sang qu'il a faim ! Il peut même déjà sentir la bonne odeur alléchante des biscuits aux pépites de chocolat de Jessie.

Scott, lui, a toujours l'air triste. Evan se contente de lui dire « À lundi. » avant de partir.

–Attends !

Il se trouve déjà en haut de l'escalier quand la voix de Scott retentit derrière lui. Evan se retourne et le voit sortir une clé de sa poche et se diriger vers le meuble de rangement pour l'ouvrir. Evan espère qu'il va lui offrir un roulé au chocolat pour la route. Rien ne pourrait lui faire plus plaisir que du bon chocolat !

Scott ne sort pas de boîte de gâteaux au chocolat, mais une enveloppe, une enveloppe qu'Evan reconnaît immédiatement. C'est celle de Jessie. Celle qui contenait les 208 $.

–Je suis désolé d'avoir volé ton argent, lui dit Scott en lui tendant l'enveloppe.

Evan prend la grosse enveloppe. Il avait oublié ce que représentait une telle liasse de billets. Le travail. La sueur. Mélanger la limonade, la trimbaler partout en ville sous un soleil de plomb. Et surtout, dire à Jessie qu'il avait perdu tout son argent. C'est ça qui avait été le pire.

–Je suppose que tu es vraiment fâché, hein ? demande Scott.

–Non.

Evan est étonné de sa propre réponse, et plus encore de constater qu'elle est honnête. Est-ce à cause de ce procès lamentable, ou de leur ignoble partie de basket, ou même parce qu'il n'a rien mangé depuis presque vingt-quatre heures ? Quelle que soit la raison, Evan se sent juste complètement vide. Il n'y a plus la moindre goutte de colère en lui.

–Pourquoi est-ce que tu l'as pris ? demande-t-il en regardant l'argent.

Scott hausse les épaules.

–Je ne sais pas. Peut-être tout simplement parce que c'était à toi.

–Oh.

Ça n'a aucun sens, pour Evan. Ce n'est pas comme si Scott avait besoin de cet argent. Après tout, ses parents lui achètent toujours tout ce qu'il veut : l'iPod dernier cri, les meilleurs patins de hockey, la plus grande télé. Ça n'a vraiment aucun sens.

Mais parfois, les choses sont ainsi, elles n'ont pas de sens.

–Je dois y aller, dit-il en glissant l'enveloppe dans la poche avant de son short.

Le soleil est déjà bas à l'horizon et sa mère lui interdit de faire du vélo à la tombée de la nuit. Tout à l'heure, il se rendra chez Adam pour la fête qui célèbre la fin de la journée du Grand Pardon.

–À plus, dit-il à Scott.

–À plus.

Ils traversent tous les deux le jardin, et Evan s'assoit sur son vélo.

–Au fait, crie-t-il alors qu'il s'éloigne de la maison, la prochaine fois qu'un ballon passe par-dessus la clôture, il est pour toi ! Tu me dois bien ça !

Evan ne s'attarde pas pour entendre la réponse de Scott. Mais le ballon terminera encore sa trajectoire dans le marécage, c'est sûr. Ça se produit souvent quand ils font les zouaves sur le terrain de basket !

» PERSONNEL! «
CONFIDENTIEL!
NE PAS LIRE!!

Pacte solennel de silence

Ce contrat est légal et lie toutes les parties dont la signature figure plus bas.
Les soussignés jurent solennellement de ne jamais révéler à la classe de quatrième année de l'école primaire Hillside, ou à n'importe quel adulte qui pourrait poser des questions, ce qu'il est advenu des deux cent huit dollars qui ont disparu de la poche du short d'Evan Treski le 5 septembre.
Cette affaire est maintenant classée pour toujours, et les renseignements qui s'y rattachent seront mis sous scellés pour l'éternité.

EVAN TRESKI

Jessie Treski   Scott Spencer